young you comics
special pin-up

おいしい関係⑪
CONTENTS

おいしい関係⑪

関係⑪

槇村さとる

act.42

おいしい

おいしいって
どんな感じだった――!?
ザワザワザワ
ただ今
どうしたの?
あ…おかえりなさい
へんな客が食いまくってるんです
へんな客?

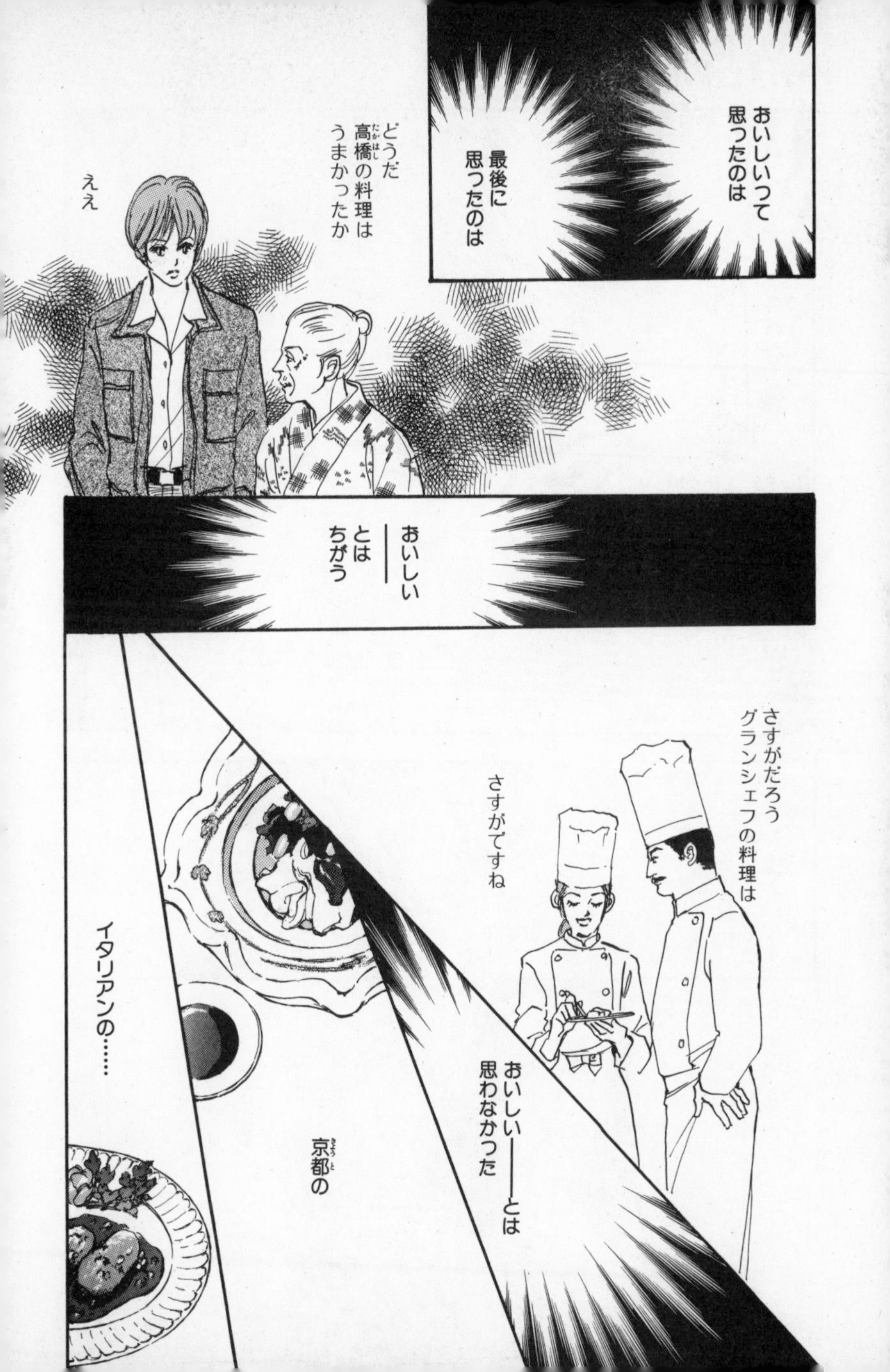
おいしいって思ったのは
最後に思ったのは
どうだ高橋《たかはし》の料理はうまかったか
ええ
おいしい――とはちがう
さすがだろうグランシェフの料理は
さすがですね
おいしい――とは思わなかった
京都《きょうと》の
イタリアンの……

感じたことなかった
うわぁ
気持ち悪いのか？吐くのか？
……………
こらミキ！
危ないわよ油使ってるんだから！

ほーら
揚げたてだよ
お母ちゃん
コロッケ!
ハフ
ハフ
おいしいい!!

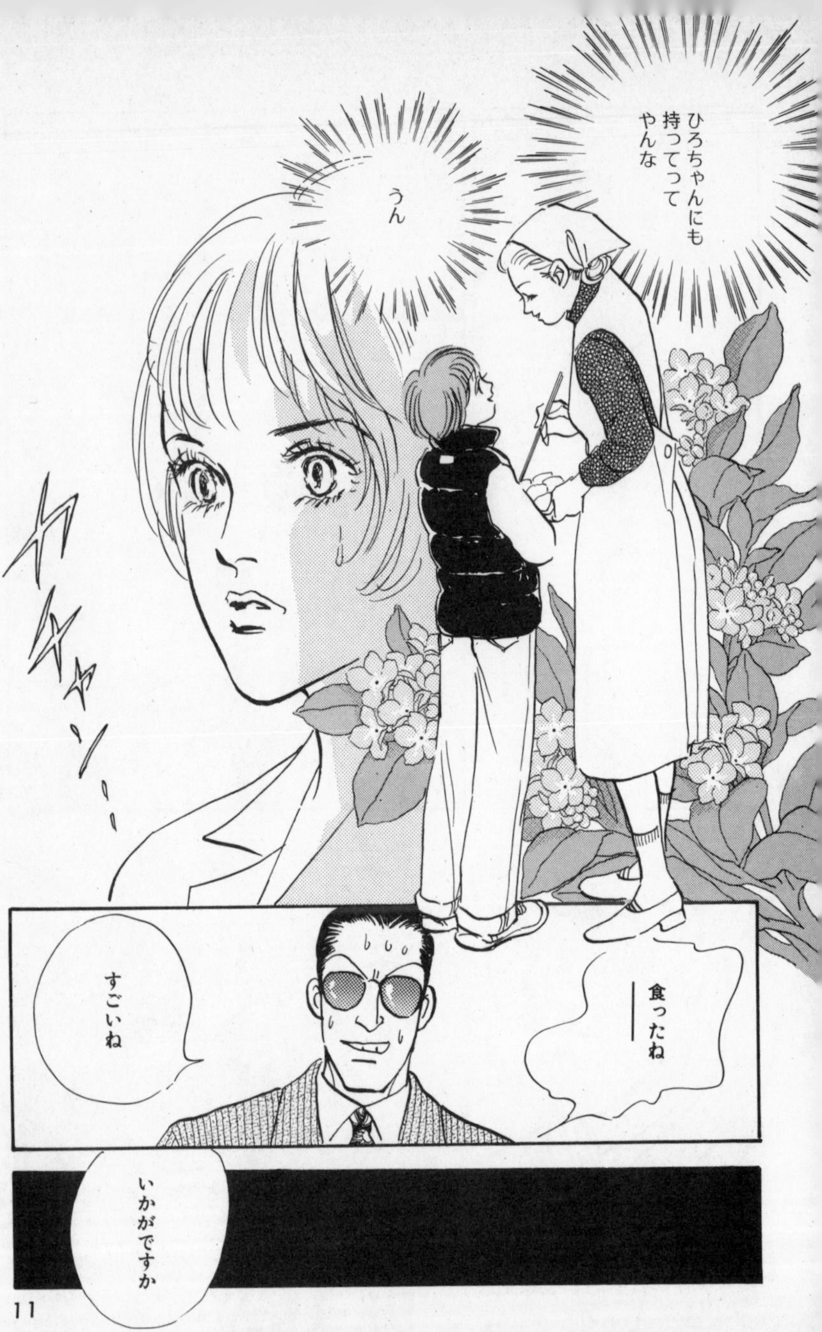
ひろちゃんにも
持ってってやんな
うん
カチャン…
食ったね——
すごいね
いかがですか

わっ
お味はいかがでしたか?
まずい!!

うわあああ
なんだよ あの女
うまく…… 言えないけど
材料も 味も 風味も もりつけも 什器《じゅうき》も サービスも すごいけど!!
まずい…
PIYO
PIYO
PIYO
どうも すみません ごちそうさま
ミキちゃん カンニンしてよ ――ッ

失礼だわ……!!
マナーがなってない
こんな遅くまでねばって食べちらかして
胃腸薬まで出させて言うにことかいて「まずい」ですって!?
どうかしてる!!
……
ぷ
ぎょっ
圭二《けいじ》さん?
～～!!

まずいって
言うんだもの
まずいんだよ
絶対に!
そーだ
そーだ
ははは
大体だれもかれも
おいしい料理なんて
あるわけ
ないんだ
怒ること
ないよ
あはあは
あの人が
笑っている……
だから
ニャニャ
やめられないんだよな

なんなの
今度は
ミキちゃん
スーパー
丸
ス
2
何買うの!?
シュ祭
ドサッ
じゃがいも
玉ねぎ 300
にんじん 200
なァ……
デートしてるんじゃ
なかったっけ
俺達
ガスコンロ
ある?
え?
あ――うち?
あるけど
来るか?

701
まあ はいれや 酒でも飲むか? いやーうれしいな
ブランデーがいいか? いいのがあるから
ツカ ツカ
おーい 酒はこっち
ガチャッ

何すんの
……る
へ？
つくる

なにを………
コロッケ
ゲーーッ
まだ食う気かよ!?
ガサガサ
……いもの
おいしいもの…を
つくる
ゴロン…
ザアアア…
なア…
ムード
ないなア
風呂
入ろかな俺

寝ないんか？
俺 明日
仕事あるから
ジュウウウウゥ…
ジョワワ…
油くさ

まずい……

おーーい
いないのかーー？
帰ったのかーー？

ねぇ 早めにラタトゥイユ たのむよ
はいっ
close
オーナー ちょっと
魚松《うおまつ》に 苦情言っといて くれました？
あ！ いけね
こまります なめられます
すまん すまん
なんだか このごろ また織田《おだ》くんが いる気がする
カチャ
うわああ
ポリ…

あ!
こんにちは オーナー
あー びっくりした 本当に昔に 戻ったのかと 思った
へっへ〜〜 初心を 思い出そうと 思ってェ 来ちゃったァ
アスパラガス
アスパラガス
男爵
高
キャベツ
あれ〜〜?
どーも どーも
裏口で ひろったよー
こんにちは

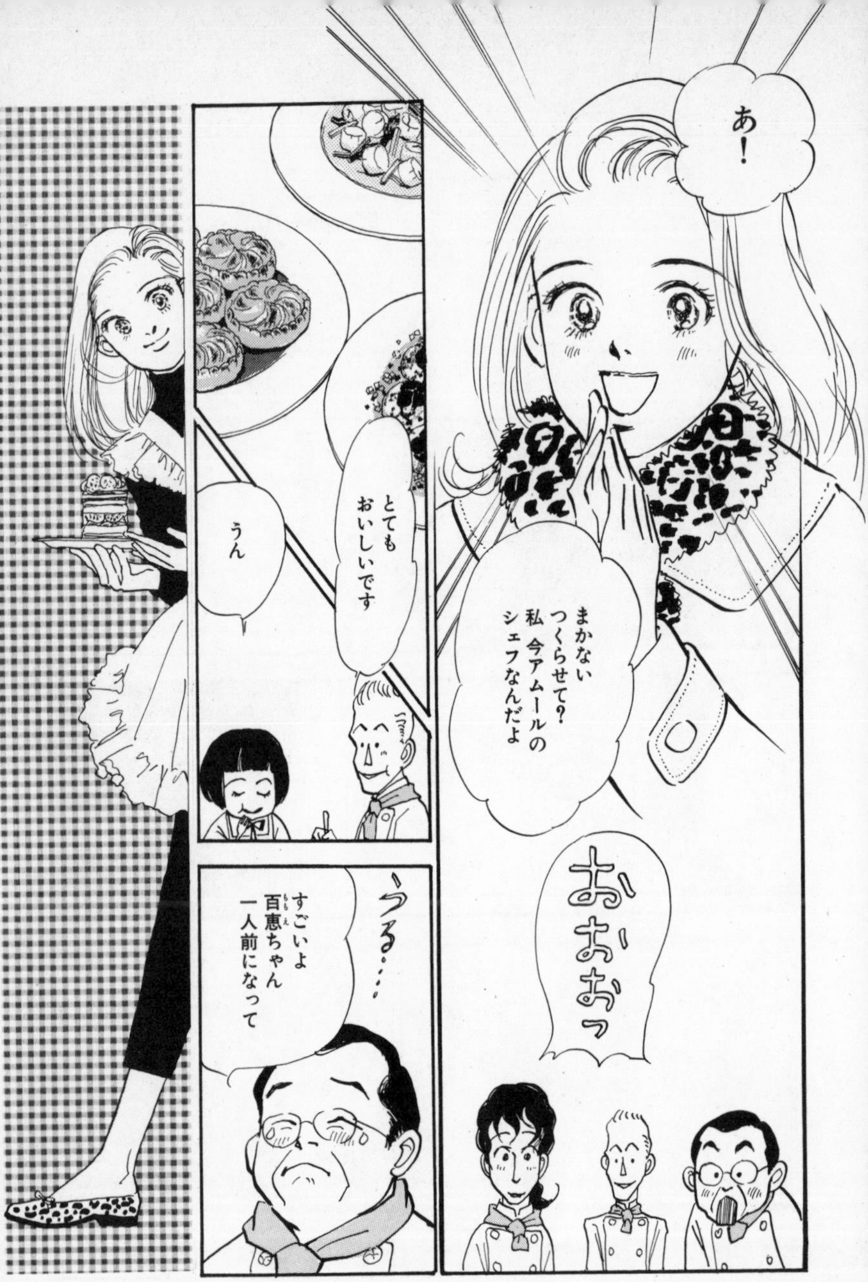
あ！
まかない
つくらせて？
私 今アムールの
シェフなんだよ
おおおっ
とても
おいしいです
うん
うる・・・
すごいよ
百恵《ももえ》ちゃん
一人前になって

戻ったんだね
高橋さんの
店に
……
知ってたんだ
「銀」の郁夫《いくお》くんが
英子《えいこ》さんから
聞いてて
ご心配
おかけしました
自信なくして
ぺしゃんこに
なったけど
やっぱり
料理しか
ないって
よくわかった

木村《きむら》くんは
すっかりシェフが
板についてて……
自信にあふれてる!
そんな……
織田さんが
いてくれた時は
責任取るの
怖いっていうか
守られて
楽《らく》したいって気持ち
——どこかに
あったかも……
私が自信
持てないのは
守られてばっかり
だったからかな
両親でしょ
オダでしょ
オーナーでしょ
タカハシさん
タミネさん
フッー
そうだよ
20代の女の子
なんて
でも……
「コック」には
年も性別も
ないんだよね
うん——
心配になっちゃう

木村さん
御殿山《ごてんやま》のエンドー様から
お電話です
5点!
どーしたの?
自分の皿だと
いう自信!
迫力とか——意地とか
ないのかも………
ひゅ
育ち恵まれ
すぎてて……?
もう
やめろよ!!
ドーンッ

毎日毎日
コロッケ
コロッケ
コロッケ!!
イモが
男爵か
メイクィーンか?
ゆでるのか
むすのか
肉は
豚か牛か
合いびきか
衣《ころも》が
えーと?
生パン粉か?
油はラードか
サラダ油か
どーして俺が
そんなこと
覚えなきゃ
ならないんだ?
うまいよ!
もういいよ
どーでも!!

だって……
ぐいっ
おまえ 男さそっといて そりゃねーだろ
「背中の傷 見せてやろうか」 だって? いつだって 見たい時に見せて もらうよ
くそっ 寝る!
バン!

イモ…
肉…
衣…
油…
全部
組み合わせ
試したよ
お母さん…
教えてよ
もういない
教えてよ……!!
聞きたくても

もう
いない
もぐ
もぐ
もぐ

辻《つじ》くん ちょっと
はい
これ―― いつもと ちがうね
…!
下げて 下さい
カチャ…
はい

自分は高橋の味を食べたくて来たのだから
これはちがう——と戻されました
どうしますか？
ちょっと待っていただいて
つくり直します
はい
ザッ‥
食べてもらえなかつた

高橋の味じゃない
ガッガッガン
―それって私の皿だって認められたってこと――!?
でも――!
だったら!!このくやしさは何よ!!
ガンッ

私にだって
意地はある！
誇りはある！
一生懸命
つくった皿には
愛情はある
……あ…
ある……！

愛情は持ってていい
気持ちは
絶対ゆずらない！
でも
ここにいる気なら！
半端な
自己顕示欲なんて
何のためにも
ならない
高橋 薫《かおる》を
つくらなきゃ
評価されない！

パタ パタ パタ パタ
ただ今
あらっ!!
おかえリ
早かったのね
あ——あ
見られちゃった!
え?
これ?
きのうの夕食の
肉ジャガ
これつぶして
コロッケにするの
おまえは好きでしょ?
お客さんには
出せないよこれは!
ガバッ
肉ジャガ——!
白滝
にんじん
いんげん
しいたけが
入ってる日も
あつた

工夫……
食べさせる相手に合わせる気遣い
何を想いながらつくってたの？お母さん

サクッ
お母さ……

なんで横暴なお父さんに黙って従うわけ？
情けない人生！
お母さんみたいにはならない 私!!
ごめんね……
ひどいことばっかり言って……
やさしくできなくて
……と
がと……

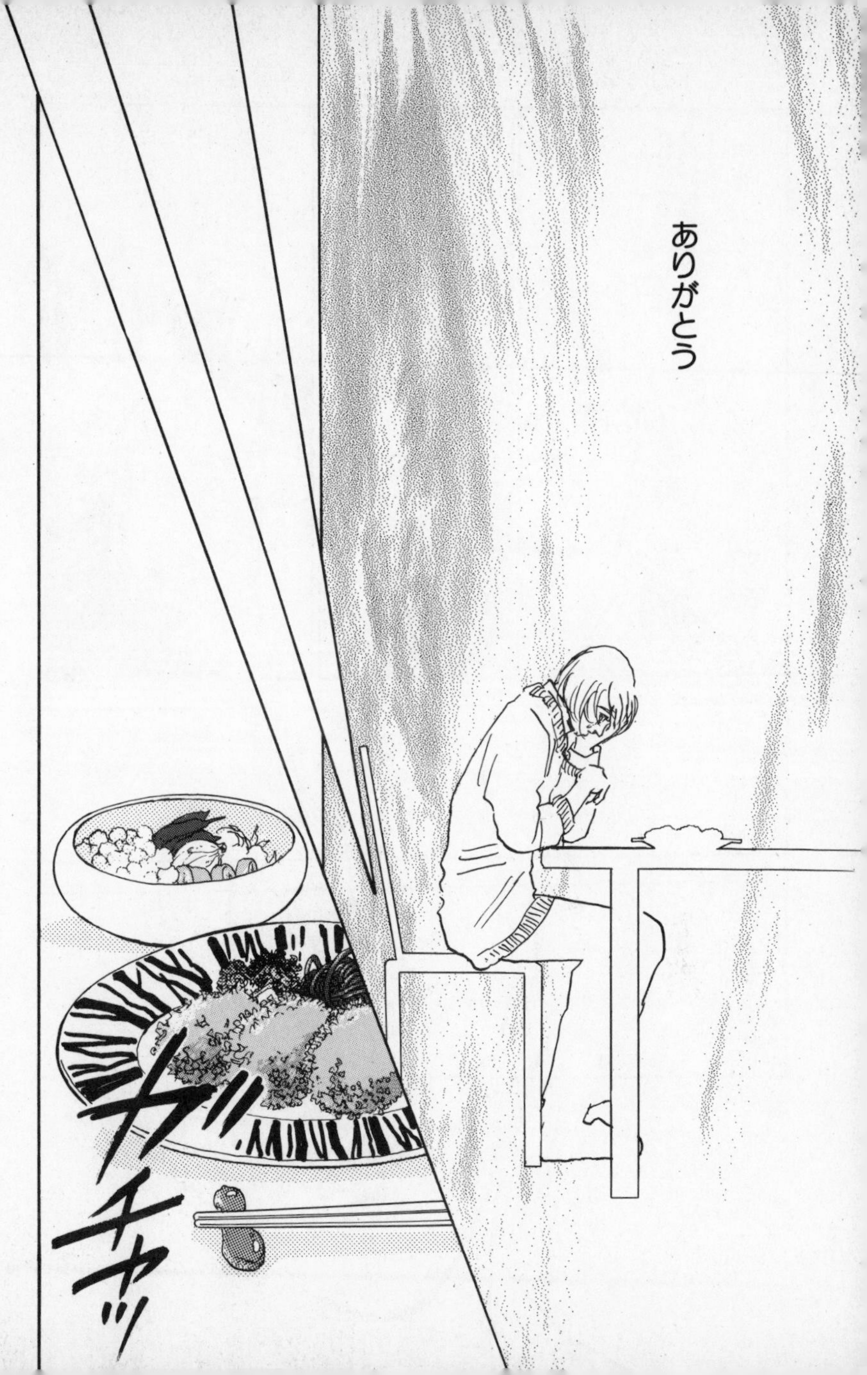
ありがとう
ガチャッ

えーーっ
ちょっとォ
女いるじゃん!!
女じゃねえよ
そんなの
出てけ
やっだあぁ
シュラ場は
やだよーー

さっさと出てけ!!
え――？
いーのー？
悪くない――？
うるせえな
酒にしよ
酒に！
きゃー♡
りえねえ
ワイン好きー
さっきのステーキ
おいしかったね――
ああ
あそこはな
高いんだぞ
………

おいしい！
このコロッケ！
うまかねえよ
コロッケなんて！
え――
りえは
好きだなあ――
パタン…
ガッ

私に欠けていたのは
足りなかったのは

「おいしい関係」act・42 —おわり—

漫然と
お化粧するのは
カンタンだ
――
半分眠って
いても
出来る
でも
「こんな仕上がり」と
心に描いてする化粧は
ちがう
このラインは
1㎜ちがうと
効果がちがう
――とか
リップの
色味 形 質感は
――
眉はベースは――
ひとつひとつの作業を
確信を持って
積み上げていくのが
技術
――だ
まずい……
遅刻だっ!!
ダッ

おいしい関係
act.43

あ——あ
雨だと
客足が悪いんだよねぇ
タッ
タッ
タッ
でも……
もうすぐ晴れる……

おはようございます!!
入りましょうよこんな所でヘンですよ
今夜はすごいパーティーが入ってるんです
ソムリエ並みのワイン好きの会で注文の多い客なのミキさんがいてくれれば
やめるの私——
今日はあいさつに来ただけよ

ガ"ン
え……
もう やんでるわよ
えー!?

自分の店を持つ——か
ステキだね
PRIVATE
ごめいわくをおかけしました
ニコ
お世話になりました
それで済むと思ってるの？

それで納得させたって思ってるの？失敬な奴だな
一人で生きてると思ってるの？
僕の立ち場はどうなるんだ？「この娘を一人前に仕込んでくれ」と頼んでくれた千代《ちよ》先生の気持ちは？
不愉快だね
……
だれがそんな人間に協力するもんかやってみればいい自分の店でも何でも
そうやって都合よく他人を切り捨てて——ちがう！逃げ回って！行けばいい
もう逃げません!!

もう…逃げたって仕方ないって解りました…
全部 神戸《こうべ》に捨てて来た
家族も仕事も好きな人も
何もかもうまくいかなくてイヤになって逃げて
外に出れば新しい自分になれるって
自分が自由でないのは周りのせいだって悪態ついて
でも…逃げられない……

きっぱり捨てた筈《はず》の事に振り回されて
片時も離れられない
不安で怖くて――!!
だから帰るしかないんです
神戸へ戻って追い回しでも皿洗いでも…!!
死んだ両親と!!友達と――!
向きあわなきゃ私がダメになる!
そうしなきゃおいしいものなんかつくれないんです!!

これ以上
自分をダメに
するのは…
イヤ!!
もう大丈夫だって
僕は思うよ
自分の為に涙を流せた
人間は——
人においしいものを
つくってあげられるよ

ふんだ
やめちゃえば
いーのよ
バカよね
こんな何でも
最高の店は
他にあるわけ
ないのに
ぶつ
ぶつ
ぶつ
そーね
サービスは
日本一だね
昔とはちがう
一つの店に
しがみつくようなのは
流行らないんだろう?
情けないが
そーよ
ハンパよ
カッコ悪い!
だれかだって
とび出したクセに
私は戻った!
戻らせて
いただいた
いただいた!!
ガチャリ

やめちゃダメ!!
あっ
やめないわよ
おっっっっ

私がやめたらあんたが自動的にコックに昇格するなんて
許せない
ふむ…
こわ〜っ
そりゃそーだろ
来月の千代先生のディナーには私もつくるわ
どっちがここのシェフとしてふさわしいか味をみて頂くわ
ふっ…
あなたなんかに負けたらコックやめる

技術って いうのはね
こうと信じて やってみて 積み上げても まちがって
軌道修正 して また積み上げる
ただでも 時間を食うもの
あなたみたいな ポヨポヨした 性格じゃあ 10年たったって 無理!!
ガ〜ン
そこまでゆー
ということで
今日から 日比野《ひびの》 復帰です よろしく!
くっそォ〜〜〜!!
心配して バカみた
やめろ— どこへでも 行ってしまえ—
は は
ひーっ ひーっ
……

ぶつ…
盗んでやる……
同じ女の あなたから 盗むのが 一番てっとり 早いのよ
ぶつ ぶつ
あんたの技を盗んで 踏み越えてやる
ぶつ
ちょうど いい所へ 帰ってきたわね 日比野ミキ！
ゴオオオ
はっはっは
もう 放っときましょ
ミキさんが すごく元気になって 帰ってきた

よかつた
よかつた!
またケンカできるじゃん!!
……
それどころじゃないか?

MILK
牛乳
まあすごい ホタテ じゃないの
何？ どうしたの？
にんじんの ムースと ほたての クリーム煮の 「秘密の特訓」 美子《よしこ》おばちゃま 試食お願いします
あー
このごろ 百恵ちゃんが コックさんに なって よかったと しみじみ思う の〜〜〜
ほたて料理で 最も肝心なのは 火を入れすぎないこと
加熱しすぎると 甘み 柔らかさ 透明感 全部おじゃんの上に うまみは外に 出てしまいます！
火！ そのカンどころを
つかむ！

──と
口で言うのは
カンタンで──
おいしいわ──
おいしくない
まだ硬い
体と腕に
覚えさせるのは
………
ジューウ…

ジュアアア…
サッ
ポロッ
早い
そうか
そういう
感じね
百恵さん
あと1週間で
試験ですね
うるさいねっ
ピロ ピロ
ピロ
はい
レストラン
アムールで
ございます
あ…
お久しぶりです
はい 4名様
25日7時──

ええ… では さい巻エビなど いかがでしょう
この前は確か—— 10月頃！ 前菜としてお出し しましたけれど お好きそう でしたから
じーーっ…
はい では お待ちして おります
プチ
?
ボッ!
火は——

強火弱火なんて
頭でわけるもんじゃない
その時その時の強さだ
料理は
魔法じゃない
味には
法則がある
レシピは
ガイドラインに
すぎない
技術は
手が枯れるまで
たたきこむしかない

たたきこむしか
あ
オーブン
もういいい!!
パシッ
きゃっ

どうした!
ガチャン!
素手でつかもうとしたんです
バカじゃないの?ケガなんかしたらメイワクよ忙しいのに
あ……
ありがとう……ございました
焦る——

またホタテ――!?
……
まあ まあ 百恵ちゃんの昇格テストのためなんだから
……
あと3日!
いっただきま――す
ぱく

シーーン
昨日より
まずい
カタッ
おいしいー
おいしいのに……
今日のは
最低ね
うう

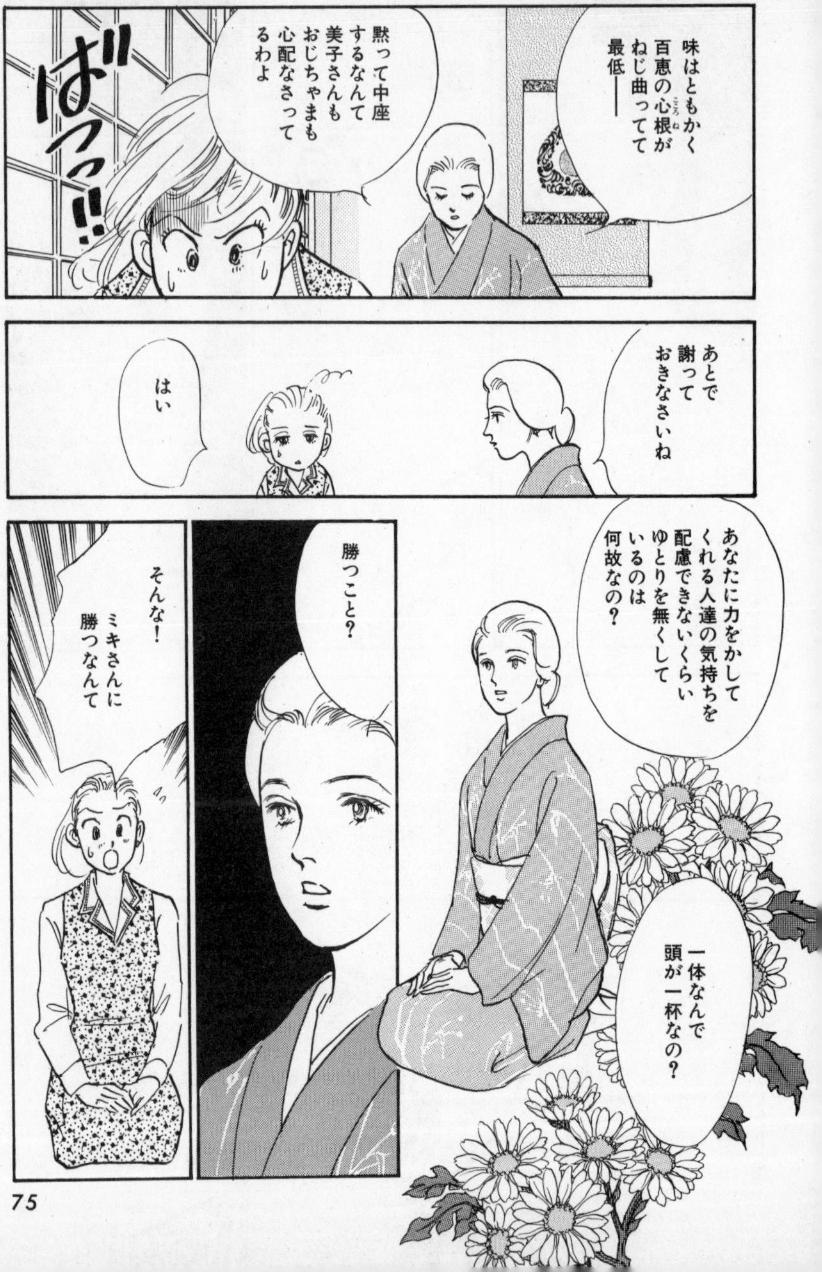
味はともかく
百恵の心根《こころね》がねじ曲ってて最低――
黙って中座するなんて美子さんもおじちゃまも心配なさってるわよ
ぱっっ!!
あとで謝っておきなさいね
はい
あなたに力をかしてくれる人達の気持ちを配慮できないくらいゆとりを無くしているのは何故なの?
一体なんで頭が一杯なの?
勝つこと?
そんな!
ミキさんに勝つなんて

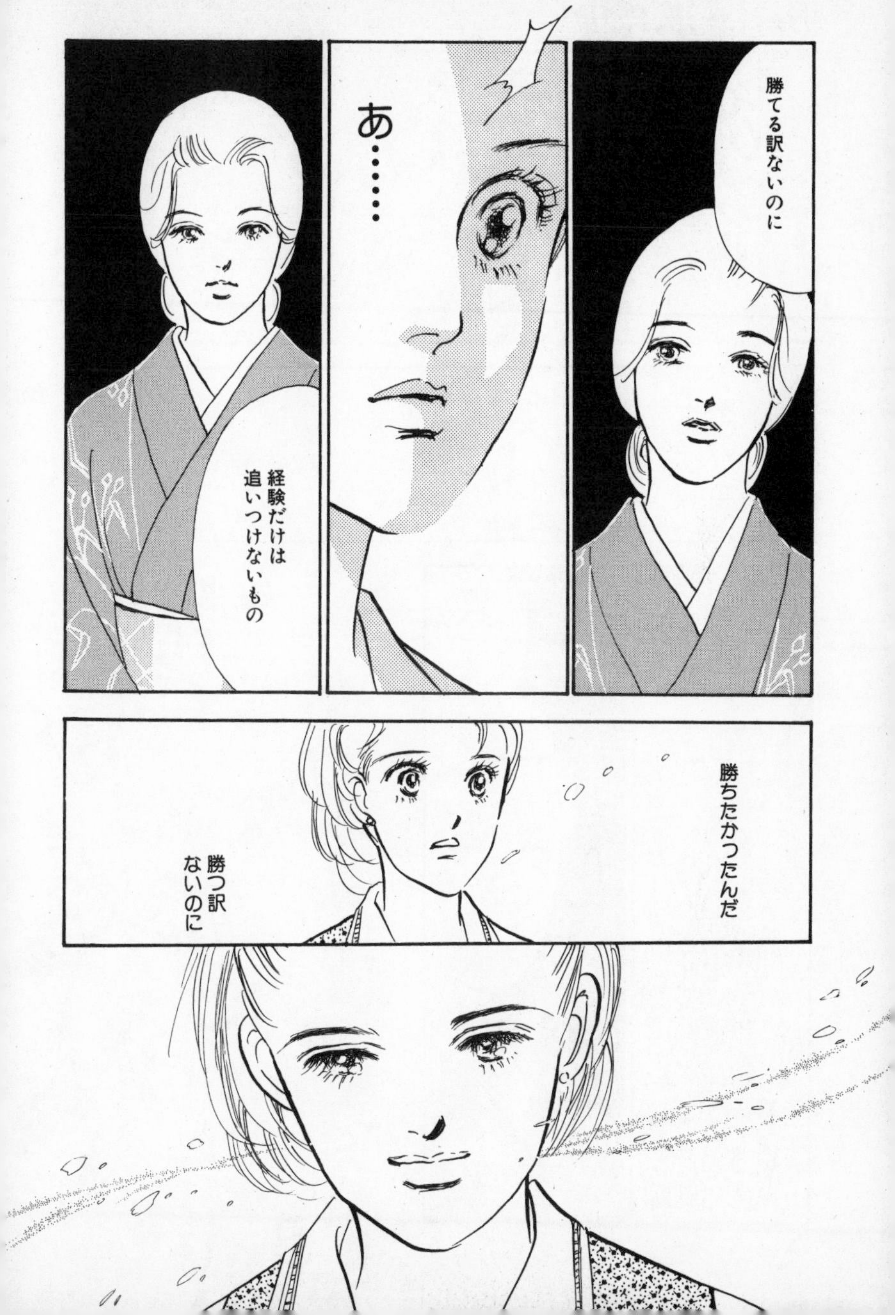
勝てる訳ないのに
あ……
経験だけは
追いつけないもの
勝ちたかったんだ
勝つ訳
ないのに

ごめんなさい
そーだ
経験を簡単に
手に入れることなんか
できない
精一杯をやるしか
私には何もない

全身全霊
皿の中に
傾けて
いくしかない

落ちついてる
メニューは
前回と同じです
今回は
下ごしらえから
見学されるそうです
どうぞ
カチャ…
ゾロ
ゾロ
平気……
あ
ぎゃーーーっっ

織田師匠〜〜〜!!
一人追加だ
セルドールにも
世話になった
食わせてやれ
ばくばく
ばくばく
ばくばく
!
まずい!!……
日比野ミキだ
日比野
お前を弟子入り
させるなら
この織田圭二の所も
どうかと思ってた

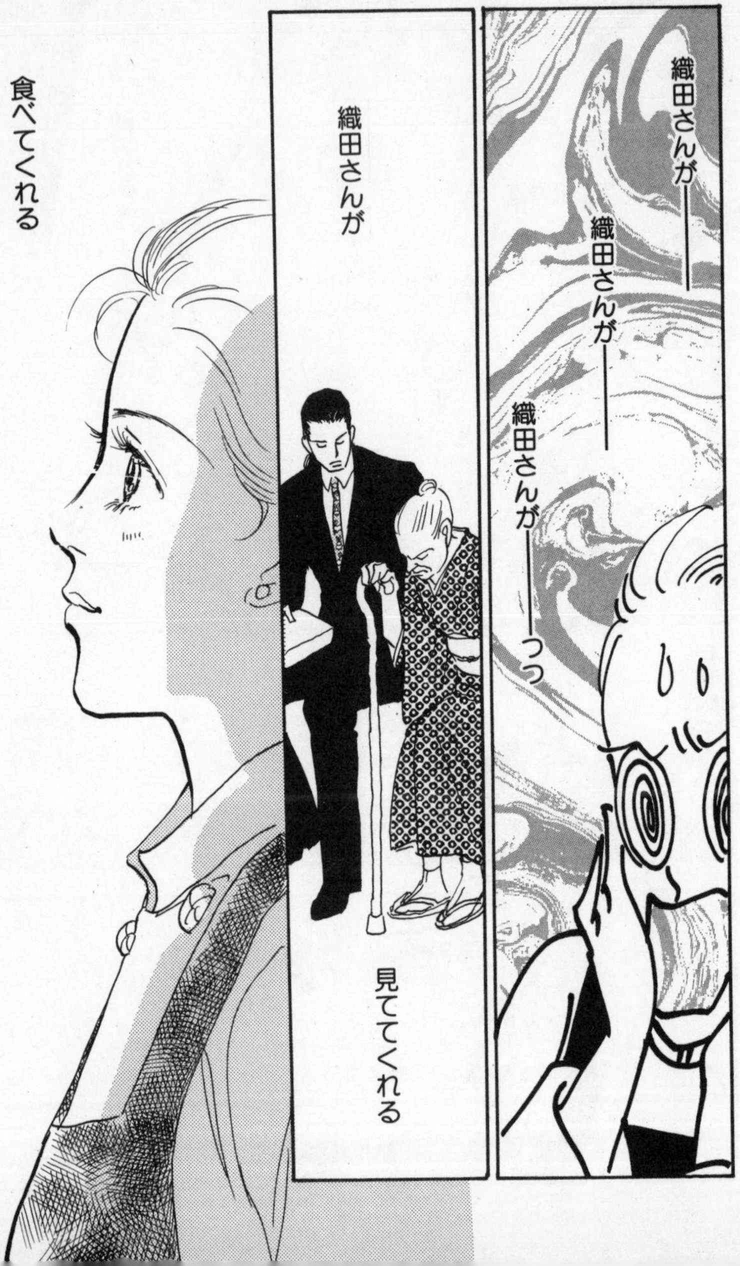

織田さんが――
織田さんが――
織田さんが――っっ
織田さんが
見ててくれる
食べてくれる

はじめ!
ザァァァ…

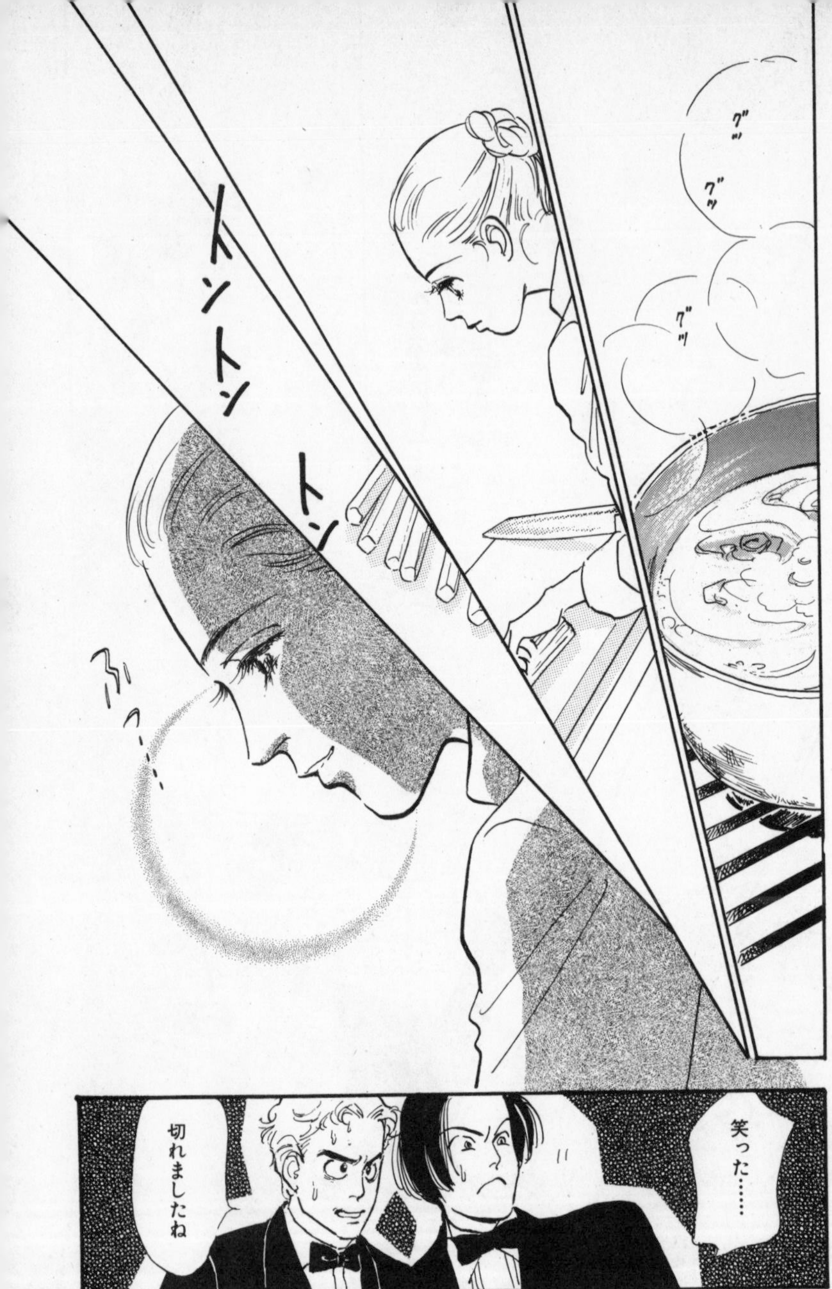
グッ
グッ
グッ
トントン
トン
ふっ……
笑った……
切れましたね

嬉しい
どんな体当りしても
大丈夫な
すごい目標が
私の周りには
すぐそばには
こんなにいる

よし
食べて下さい
私――今は
こんなに
お料理に
夢中なんです
3年前は
お米もろくに
とげなかつたのに
キュウリ
さいたま

講評――
日比野ミキはほぼ完璧な出来ばえだ 味 技術 バランス センス 色とも申し分ない
99点

あと1点は——
そうだな………
仕事は上機嫌で
やれ
はい!
次——
藤原《ふじわら》百恵
97点
え!
うろっ。。
すげいー点
あっ
あの
お言葉ですが
私ち——っとも
自信まだ
ありませんけど
ぷ…

自分を投げ出して向かっていける——それが90点だ
その様子を他人が見て「あいつは自信のある人間だ」と評するんだ
この前より上達している シェフとして認める——が
日比野が戻ったから おまえの仕事はやっぱり見習いだ
はい！
私は今日限りでやめます
わ〜〜ッ
もうやめろー
だから女は〜〜っ

97点なら
任せても
いいわ
やめるって
……
ミキさん
決めてたの
今日までって
千代先生
ありがとう
ございました
私この店で
一番大事なことを
教えて頂きました
やめるなんて…バカ者
高橋さん——
ありがとう
ございました
多峰《たみね》さん
辻さん
お世話に
なりました
藤原さん
ありがとう

――――って
怒ったような顔で
言われても……
どき どき どき
どき どき
織田さん
その節は
大変失礼
しました
お許し下さい
恥ずかしいです
ペコ…
?
今日は
おいしかったです

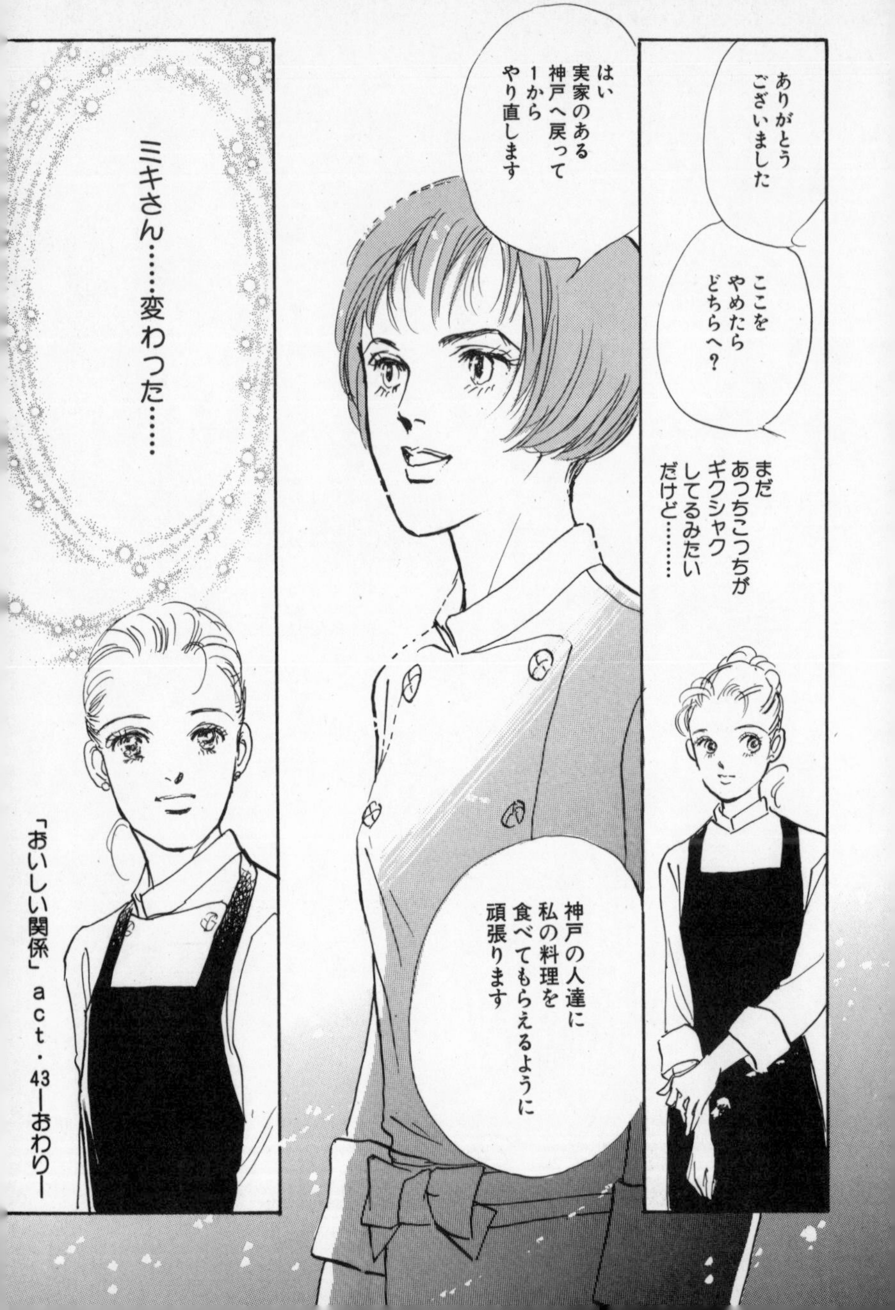
ありがとうございました
ここをやめたらどちらへ？
はい実家のある神戸へ戻って1からやり直します
まだあっちこっちがギクシャクしてるみたいだけど……
神戸の人達に私の料理を食べてもらえるように頑張ります
ミキさん……変わった……
「おいしい関係」act・43―おわり―

似たようなカッコして
似たようなアイドル持って
つまんないことで
ケンカしたり　泣いたり
相談したり
打ちあけたりしてるうちに
遠くなったと思ったら
突然結婚していたり
そんなのが
女の友達だったけど
この人とは
ちょっと違う関係
――――できそう？

おいしい関係
act.44

寒さがゆるんだすき間をぬって
沈丁花の匂いが
たちのぼってゆく
ほんとは
まだまだ寒いのに
えりもとを
開けたくなる
春が来る

おまたせ
キャーッ
スカート!!
ミキさん足首
キレイ――ッ
よしてよ
行きましょ
ミキさーん
革ジャンに
手ェつっこまない方が
いいよォ
それから
ヒザはつけて歩くと
スカートがキレイに
見えるよ――
うるさいわね
るる――ん
こんな美女二人が
客に来たら
上席に案内しちゃうな
私なら
LE SEL D'OR
LE SEL D'OR
RESTRANT

おう
いらっしゃい
お待ちしておりました
こんにちは
いいニオイ
今日は死ぬまで食べます!!
今日は送別会なんです
ミキさん明日神戸へ発つの
もうアパートもひきはらっちゃって
本当は高橋さんも多峰さんも来たがってたんですけど
そういうのはやめてくれ

今日の材料で いいものは カキ ブロッコリー 伊勢海老
肉だったら 豚足 キドニー
何とでも 料理しますよ
私はねえ おまかせでェ だんだんトロトロに なっていくコース！
……
はい
私は 牛テールが メインで――
実はこの 比内地鶏のローストも ちょっと 気になってて
だけど 豚足も かかせないし
少しずつ たくさん出しましょう
それと コンソメ！

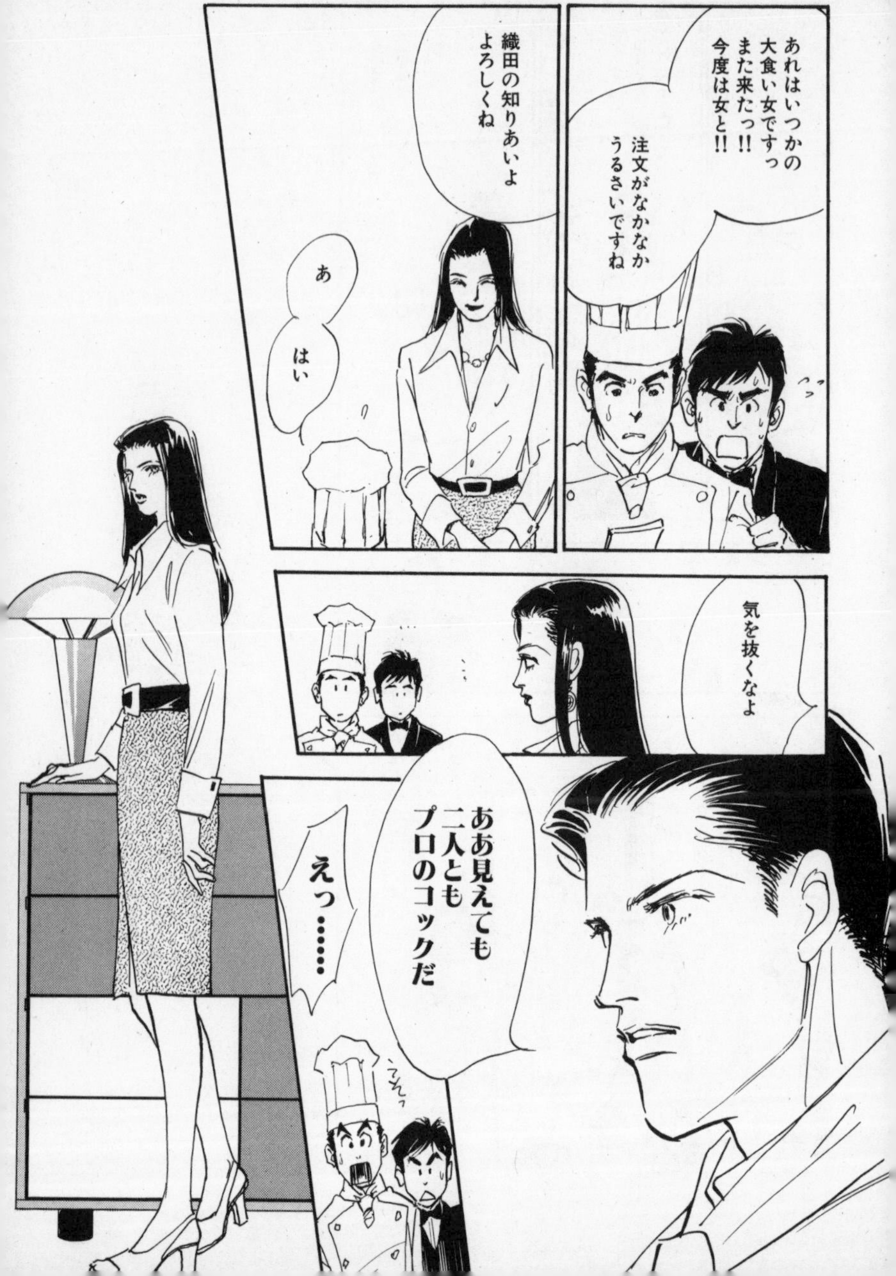
あれはいつかの
大食い女ですっ
また来たっ!!
今度は女と!!
注文がなかなか
うるさいですね
織田の知りあいよ
よろしくね
あ
はい
気を抜くなよ
ああ見えても
二人とも
プロのコックだ
えっ……

チ……ン!!
まだまだ修業よ
まあ……私ぐらいの腕ならどこでも働けるけど?
さーすがミキさんケンキョよねぇ
ぷ
プイ
ミキさんが神戸で開く店が成功しますように
私 自分の店ってなかなか想像できないの
考えてみるくらいいっくらだっていいのにネ?
不思議だなァ

この業界は最も強烈な男社会だもの
ヒエラルキー
組織
師弟関係
金
体力
コネ
宣伝
ほんとうは……
女でも男でも一人でもどこでもいつでもできる
シンプルな仕事なのに……料理なんて
そうだそうだ！同感!!
そんな化け物みたいなものに必死に認めさせようとしてた……
男達が欲しがる勲章と同じものを欲しがってた
バカらしい
ゆるゆるミキさん
いい感じ

ねえ
自分のこと
「バカらしい」って
言えるの
すごいよね
そういう瞬間って
私 大好きなんだ
「あたしって
ちっちゃいなァ」――って
骨身にしみて思える時
実はひとつ
大きくなってるって
いうの？
パッと
目の前が
開けるカンジ
する
私はね
……

おいしい……
絶対譲れないそういうものを持った人が私の「コックさん」だな
それで人を喜ばせて元気にする
コックさんの条件なんてそれだけだなァ

藤原さんは
ん?
人がこわくないのね 自分が感じたことを 素直に バラしちゃうなんて
……こわいの?
今だって すっごい 緊張 してるわよ
そーは 見えないっ!!
バタッ
でしょーね
肩書き 比べあって その優劣で つきあう方が 楽だわ
あははは
肩書き もってないから
素でやるしか ないだけよ
あはあは

私が怖いのは
自分が自分を傷つける時――ギリギリ痛めつけて歯止めがきかないような時
すごく苦しくて「死ぬ」――って感じる
いい人もイヤな人も私に都合のいい人も悪い人も……
助けてくれる人も踏んづけてくれる人も色々いるけどさ
他人だもの私を殺すことはできない……だから怖くない
そうか……

そうね……
まあ── 出来のいい人は実際 ねたまれたり?
やっかまれたり?
そりゃー いやな目にも 会うでしょう
ははは あってみたいよ そーゆー目に!
でも…… そんなもの いちいち 真にうけてたって 仕方ないわね……
そうよ そうよ 遠くでわめいてる 奴らなんて 弱虫に決まってるもん
私ずっと…… 他人は私に対して 悪意のようなものを…
持ってるって 感じてた

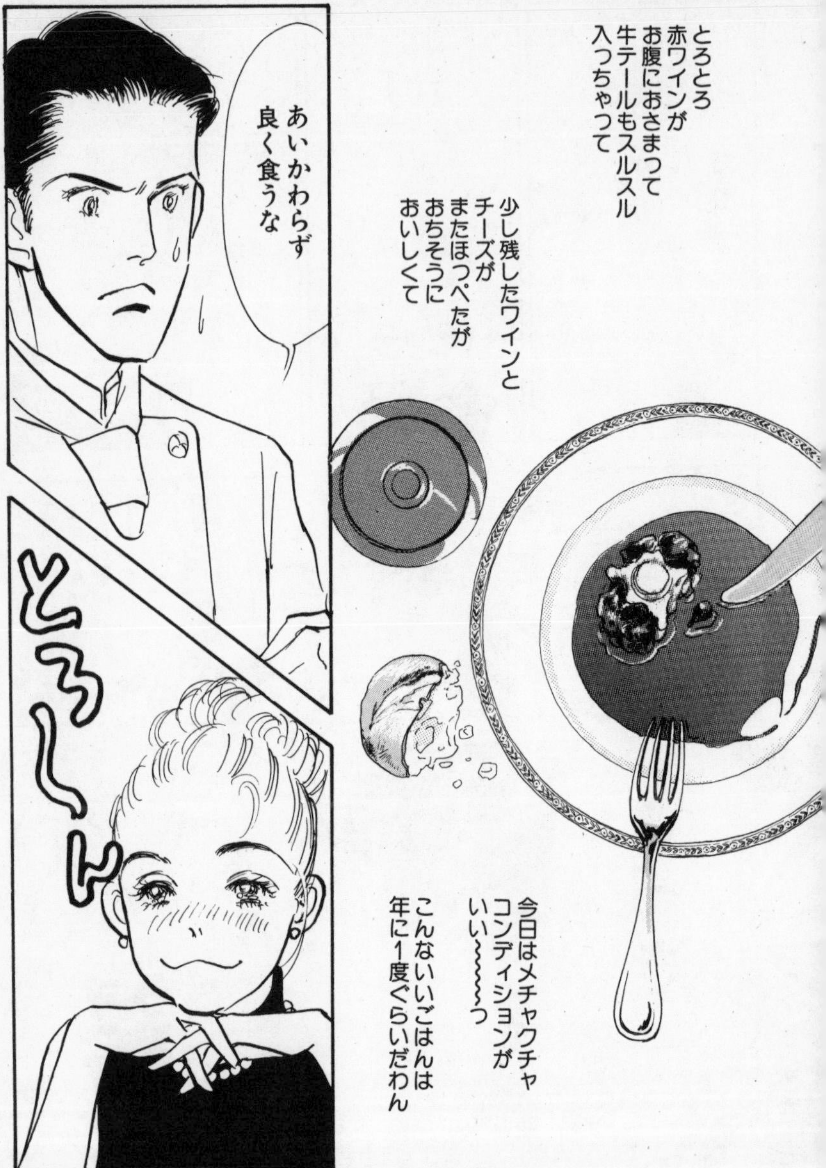
とろとろ
赤ワインが
お腹におさまって
牛テールもスルスル
入っちゃって
少し残したワインと
チーズが
またほっぺたが
おちそうに
おいしくて
あいかわらず
良く食うな
今日はメチャクチャ
コンディションが
いい〜〜〜っ
こんないいごはんは
年に1度ぐらいだわん
とろ〜ん

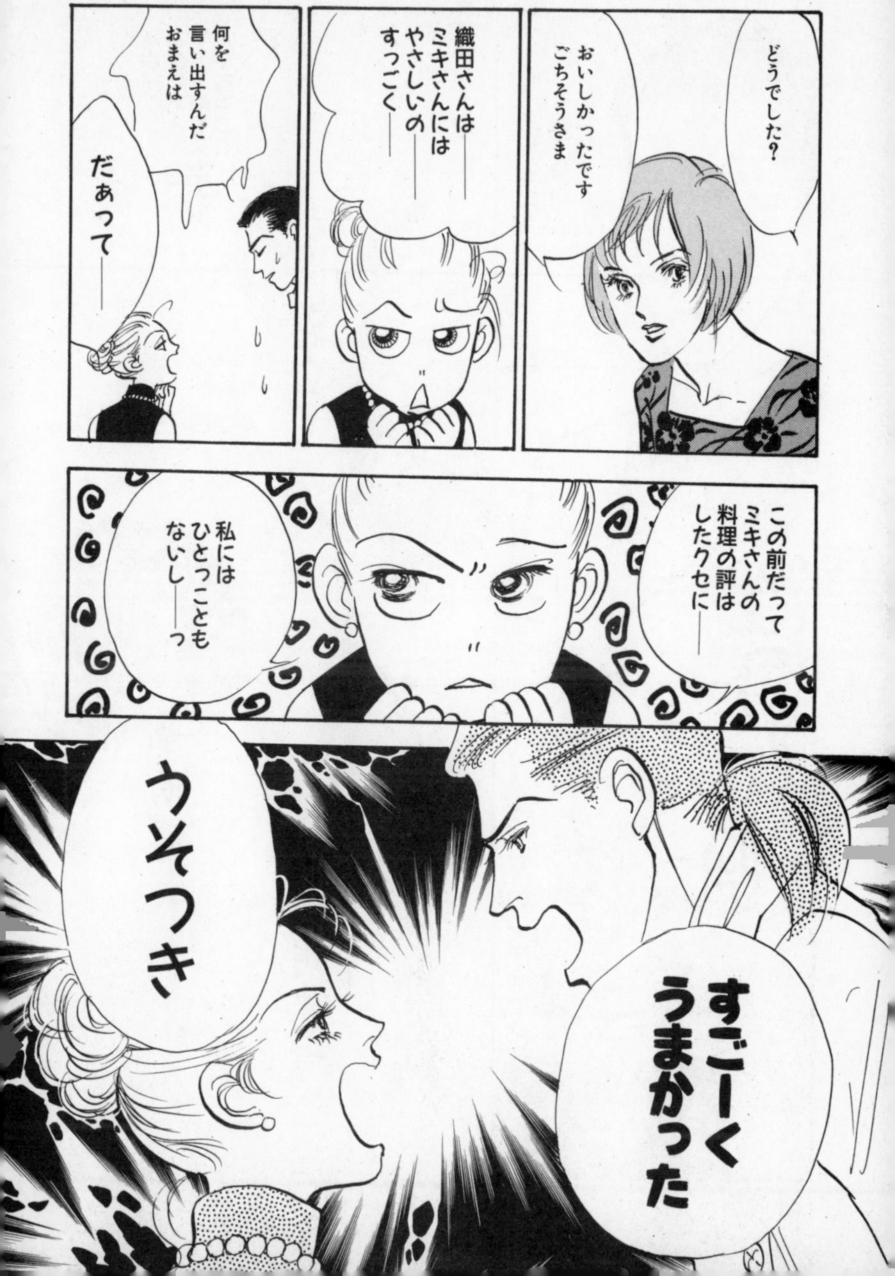
どうでした?
おいしかったです
ごちそうさま
織田さんは——
ミキさんにはやさしいの
すっごく——
何を言い出すんだ
おまえは
だぁって——
この前だって
ミキさんの料理の評は
したクセに——
私にはひとっことも
ないし——っ
すごーく
うまかった
うそつき

どーせ
まだまだですよォ
あー
まだまだって
楽しいなー
ケラ
ケラ
ケラ
ケラ
次の店行くぞー
酔ってない？
いつから
コックに昇格
したの？
百恵ちゃん

いつの間にか…… 着々と…かな
もう手も離して長い いつあんなに しっかりしたのか
俺には わからない
いつまでも 出来の悪い弟子 だなんて 思ってると
足をすくわれる
まさか!
くす…

事実
今日は緊張した
織田さん
石田《いしだ》様が
お帰りです
はい
百恵ちゃんを
一人前って
認めたの？
もう仔犬じゃ
ないって……？

301
FUJIWARA
カチャ…
上がって上がって
殺風景だけど
そーかな……
ケーキ焼いてあるよ
まだいい
じゃひとまずお茶だ
あたし……松尾《まつお》さんと会ったよ
ミキさんが留守してた時上京して来たの

無言電話
みたいの受けちゃった時
ミキさんじゃないか
――って思ったたって
心配してたよ
神戸戻ったら
連絡してみて?
うん……
ホテルの厨房に
入ったのが
同期で――
似たような力
だったのに
彼の方が
飛び級で
出世して
苦しくなって
別れちゃった……

仕事と男女関係をグチャグチャにしてた――
彼自身を好きなのか――なんて
考えてなかったかも………
これから考えてみれば?
もうダメよひどいこと言ってしまったし

好きだったら
ごめんなさいって
言えば?
やさしくて
あつたかい
雨の音がした

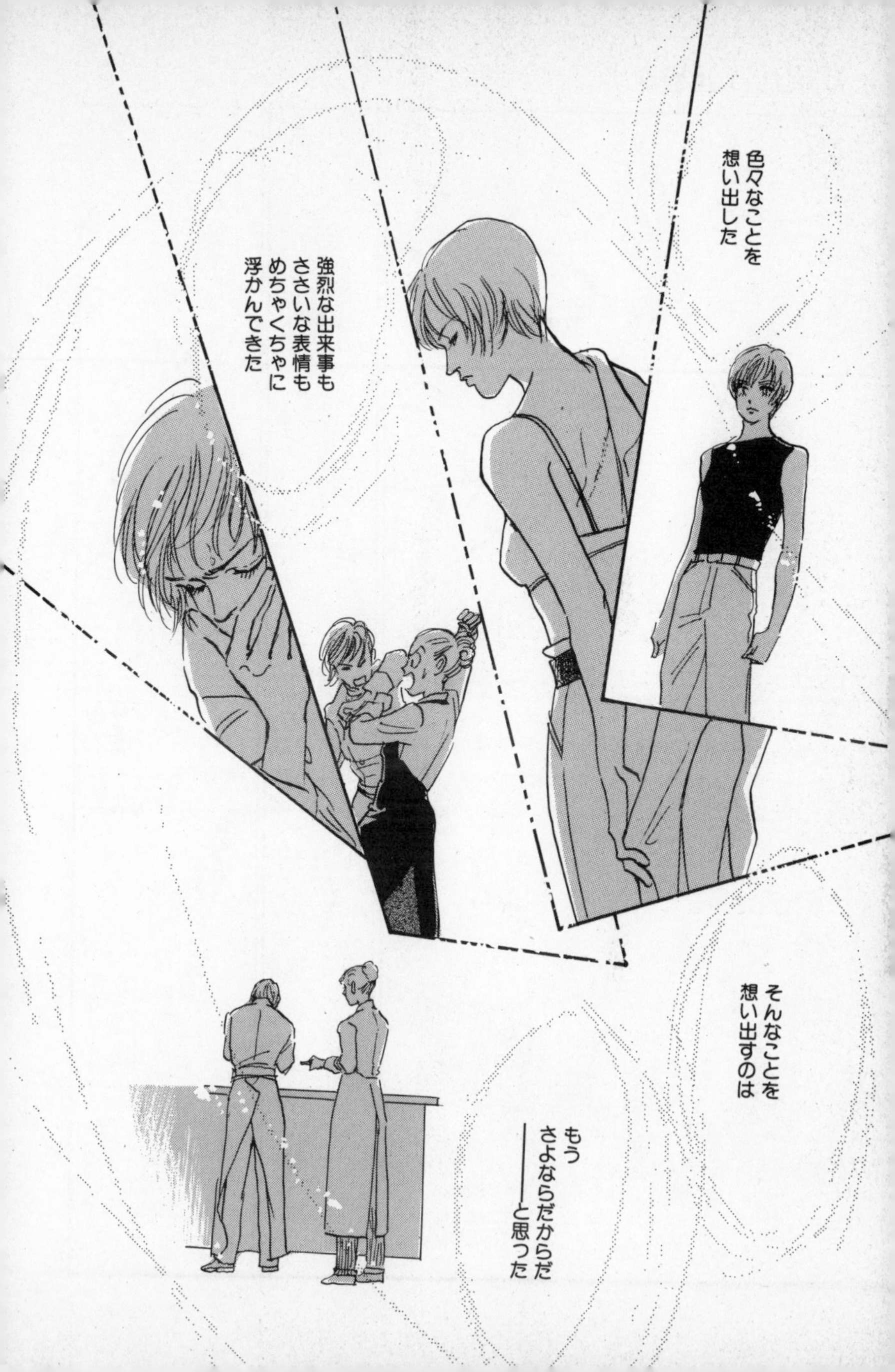
色々なことを
想い出した
強烈な出来事も
さきいな表情も
めちゃくちゃに
浮かんできた
そんなことを
想い出すのは
もう
さよならだからだ
──と思った

ぬくもりと
湿気に包まれて
私たちは
充電しているような
気がした

もっと
藤原さんに
おそわりたかった
人のこと……
?

でも
ちがうよね
習うことじゃない
自分で
やることだわね
？
？
？
コツはわかった
ありがと
さよなら

さよなら
似たような夢を
追いかけて

さよなら
ミキさん
ミキさんは
無事神戸へ
発ちました！
はい
ごくろうさま
カタ！

今日から見習いで入ります山田《やまだ》ですよろしくお願いします!!
……
ぺこり
藤原です
今日からまかないとフロアの手伝いは彼に任せて
教えてやって
はい
子分ができた

冷蔵庫――
オーブンは温まるまでちょっと時間がかかるから
はい
ブレンダーなんかはここ
ブイヨンは自由に使ってかまわないけれど大切に使って下さい
はい
一応朝のうちにみんなの体調とリクエストを聞いて下さい
はい
お願いします
ガチャ
ガチャ
わ
わ
わ
緊張――
すみませんっ
するよな
ぷ

しっかりしなきゃ
キッチリ
藤原
今日から
ミートパイ
入れるから
ひとつ ひとつの技術を
はい
コツコツ
積む
毎日が出来ばえを
はっきり自分の中で
位置づけて

つなげていく
夢に！

……
ダメ
……
やり直し
はい!
もたもたしてるとそのうち女のコック達に職を取られるぞ
オレはイヤだぞ女のうるさいのを使うのは
はいっ!!
女が厨房に入って何がいけないの?

…………
赤ワインの
酸味が強い時は
一度沸騰させる
はい！
そんなこと
言ってないけど？
実力があって
心があるコックなら
男も女も
ないんじゃないの？

だったら百恵ちゃんをうちに呼びましょうよ
彼女はあなたの弟子なのよ味はばっちりよ
何言ってるの?
一番あなたの役に立つ人間
同じ厨房の中で織田圭二を支えて力になれる
私なんかより……

可《か》奈《な》子《こ》？
ガチャ…
取りこみ中か

あ
正式に食いに来てやったぞ
うまいもの出せ
お久しぶりです
元気か
はい
何も仕事をしてないなら赤ン坊でもつくったらどうだ？
何言ってんだ
あははは
パタン

「おいしい関係」ａｃｔ・44 ーおわりー

カチャ…
どうだ
織田圭二は
久々のスターというか
中核をになうシェフでしょう
明日の皿をつくる10人の中の一人だ
異論ありません

おいしい関係

act.45

シェフ
テーブルの方へ
お味の方は
いかがでしたでしょうか
まーまーだな
素晴らしかったです
ごあいさつがおくれましたが夕陽出版の足立《あだち》と申します
おまえに話があると

我が社は創立時より今日までプロの料理人のための本を専門に出してまいりました
存じてますエスコフィエの全集を持っています
………それはすごいすでに絶版ですが……
10年前古本屋で5万円でした
ははは
このたび織田千代先生の本を出版させていただく運びになりまして
織田千代
はじめて普通の人達に向けた本です
すごタイトル!

打ち合わせの最中に千代先生がたくさんの料理人達を応援していることを知りまして
「料理とコック」で完結せずに食べる人間も巻きこんで行こうとする姿勢に大いに感銘を受けました
「新世紀のシェフ」
何というか広がり――と言うか…
そこで織田先生監修によるシリーズ本の企画が生まれまして
その第2弾は――

戦後に生まれ
高度成長期
バブルを越え
21世紀に
華を咲かせる
若手のシェフ
10名の写真集
シェフのコメントと
代表的な料理5品
料理の解説
ぜひ!!
え?!
ひえ

かまえが成っとらん
右足を引け
おちつかん奴だ
さっさと水から上げろ
うまみがどんどん逃げるぞ
ちょっと空いたら掃除でも何でもしろ
――ったく
近ごろの若いのは
はいいっ
ガルルル…
千代先生
こちらでお茶でも
手を抜くな
料理の魂が抜けるぞ!!

まあまあだな
良くしつけてある
他人を使うことが
根っからダメな男が
少しはガマンを覚えて
しこんでるようだ
毎日よく
どなってますけど
………
愛情がある
どなりは
必要だ
成長した
あんたの
おかげだ
え
あんたが
あいつの
バックボーンを
支えてるんだろう

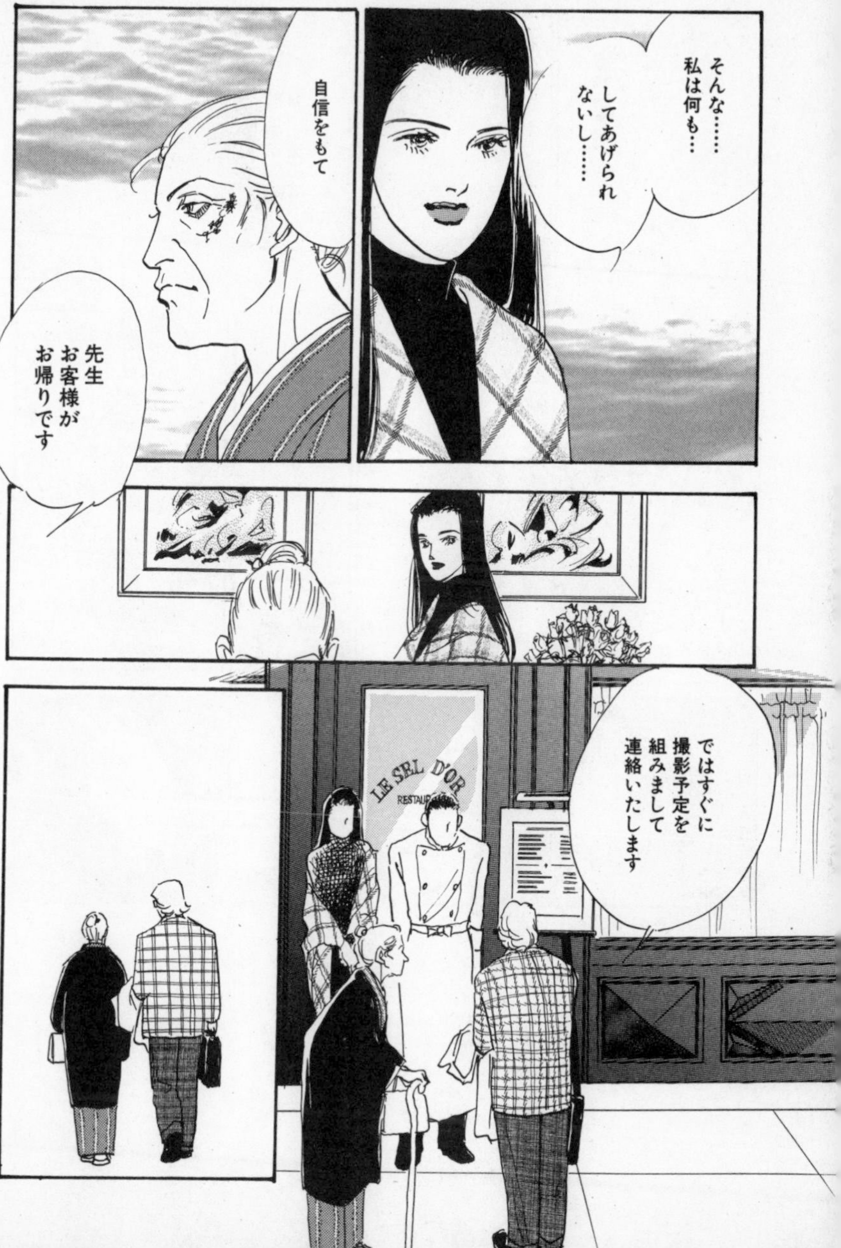
そんな……私は何も…
してあげられないし……
自信をもて
先生お客様がお帰りです
LE SEL D'OR
ではすぐに撮影予定を組みまして連絡いたします

取材——?
料理の写真集——かな
すごい……
10分の1だよ 他に高橋 薫や クレッシェントのヨシオ 函館《はこだて》の片瀬《かたせ》や…
素晴らしい企画じゃない 宣伝効果もすごいわきっと
い——よ そんなの どーでも
さすが千代先生——ね
私にはとても起こせない企画だわ

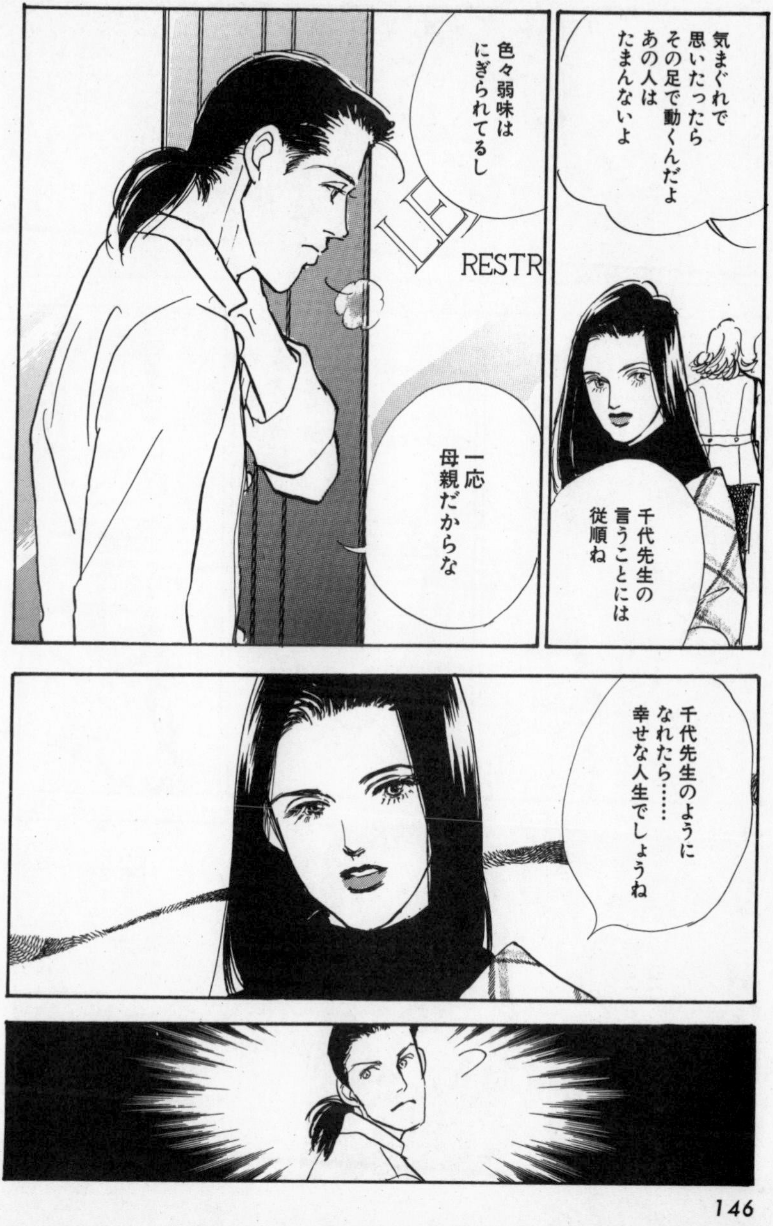

気まぐれで思いたったらその足で動くんだよあの人はたまんないよ
色々弱味はにぎられてるし
RESTR
千代先生の言うことには従順ね
一応母親だからな
千代先生のようになれたら……幸せな人生でしょうね

やめてくれよ
あんなものに
ならないでくれ
頼むから
あの性格は
まずい
わがままで
おかまいなしで
その上
疲れを知らなくて
乱暴で
イヤだ!
すぐなぐるし!
・・・・・・

フレンチを食べて
酔うのは
簡単だけど
つくるのは

皿洗いや
野菜洗いは
卒業しても…
例えば
オーケストラで
言えば
100個のイスを
並べられるように
なった位のことで…
これからは
ひとつひとつの
楽器を
どう鳴らしたら
いいのか——って
入口で
なま半かな
情熱では
とてもとても
あーゆう
人達のいる場所
までは……

まぶしいったら
キラ
キラ
でもさ――
あの方々が
ああ お成りあそばしてるのは
努力×時間を
かけたからで
うまいもんを
つくる――って
情熱は
変わらない訳よ
わたくしも
ボーッと
してないで
働いて
下さい?
あはははいっ
パタ パタ パタ
それは
ムダに動いてる
だけ

私の料理
これが私の皿だって
料理をつくりたい
キュ
よし
おいしそうだ！
行ってこい！
お客さんを
幸せにしてこい！

オレンジクレープ上がりました!
プルルルル
はい お茶でーす
ありがとうございます
どーだった? きのうのケーバ
きかないで
はい レストラン アムールです
あ はい!
え?
写真集?

はい
いや
もう いいですよ 3冊出てるし
あの撮影って大変なんですよ へとへとになる
それに「料理」なんですから 写真にした所で 匂いひとつ 伝わる訳じゃ ないし……
いや！ だから
そういう訳じゃ……
もう 決めたって そんな……！
先生
あっ
ツー
……
ツー
ツー
ツー
ツー

すごいなア
写真集なんて
ああ
また断われなかった
ズキ ズキ ズキ ズキ ズキ ズキ ズキ
どーして僕はあの女性に弱いの？
高橋 薫の皿って言ったら
季節の魚と
フルーツのソースは
かかせないわよね
ウニとニンジンの
ムースとか
あと
去年大人気だった
トマトのスープ
オレンジの
クレープ好き
オマールと
カワハギを
はずさなきゃ
いいんじゃ
ないですか？
う〜〜ツ
悩むわっ
どーして
あなたが？
あ
ちょっと
TV！

今
女性達の間で
大人気の参宮橋の
レストラン
ピエール・モンテは
閑静な住宅街
の中にある
お屋敷です
えーーっ
すぐ近所
じゃない
わあああ！
豪華ですねぇ
それに
おいしそう
よく利用します
お値段は安くて
おいしいので
知ってた？
こんなお店
あるの
知らないわよ
うちの真似っこ
じゃない
明るくって
優雅な雰囲気は
お友達の間で
評判ですし
重くなくて
食べやすい
フレンチですね

ウチより安いから人気あるだろ
むかっ
まずそう！
知らないそんなシェフ
おつかれさん
ガルルル
まあ目と鼻の先にうっとうしいものが出来たらおだやかじゃないよねぇ
・・・・・
ねえ辻くん次の休み行ってみない？
くだらね――
ねえねえ山田くん
えっ僕はちょっと…

もしもし
英子？
来週のさぁ……
え？ ダメ？
ちえ〜〜っ
一人でだって
行けるけどさァ
平気だけどさ
どうせなら
楽しく
おしゃべりできる奴と
行きたいんだなァ
う──ん
プチラパンは
定休日がちがうから
木村くんもダメだし
……
一人で行くか……

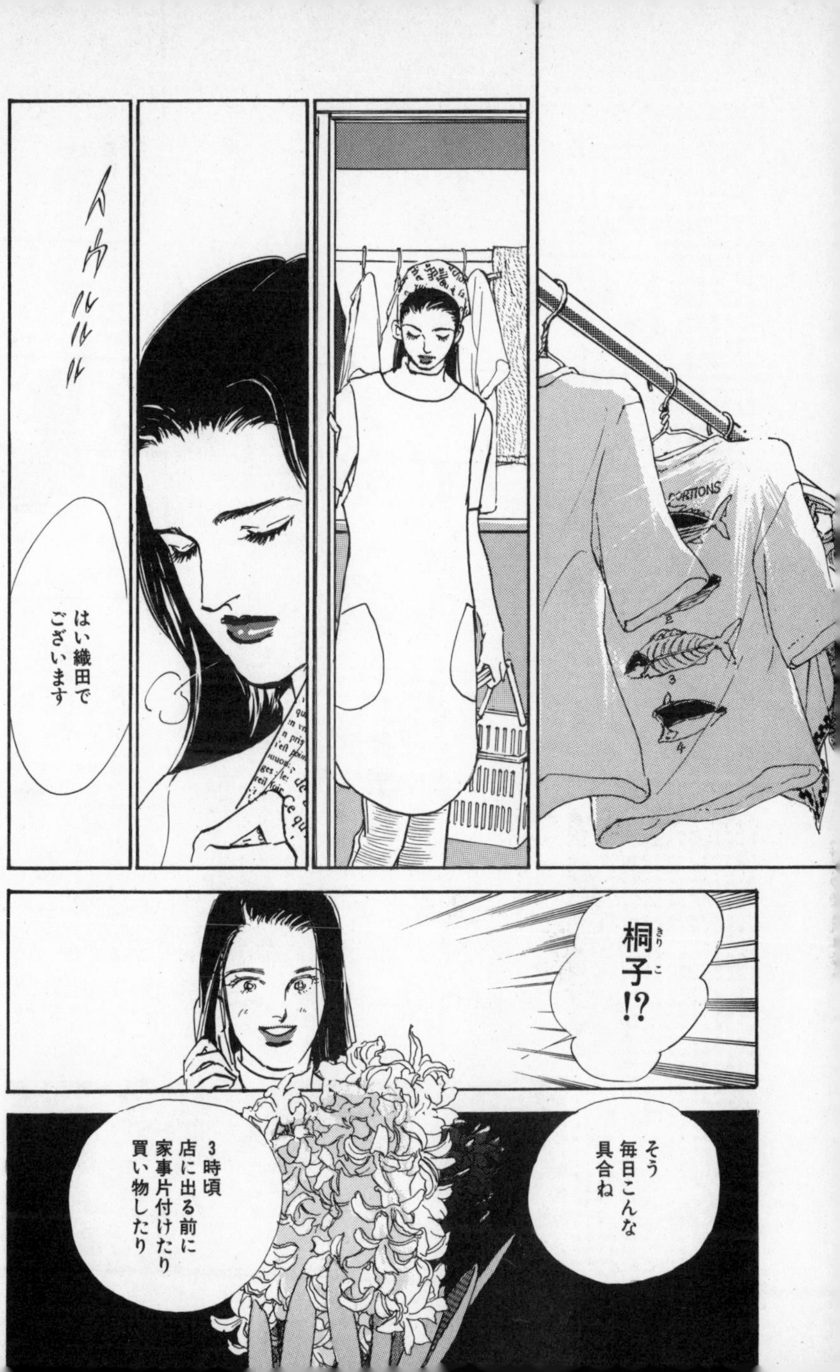
トゥルルルル
はい織田でございます
桐子《きりこ》!?
そう毎日こんな具合ね
3時頃店に出る前に家事片付けたり買い物したり

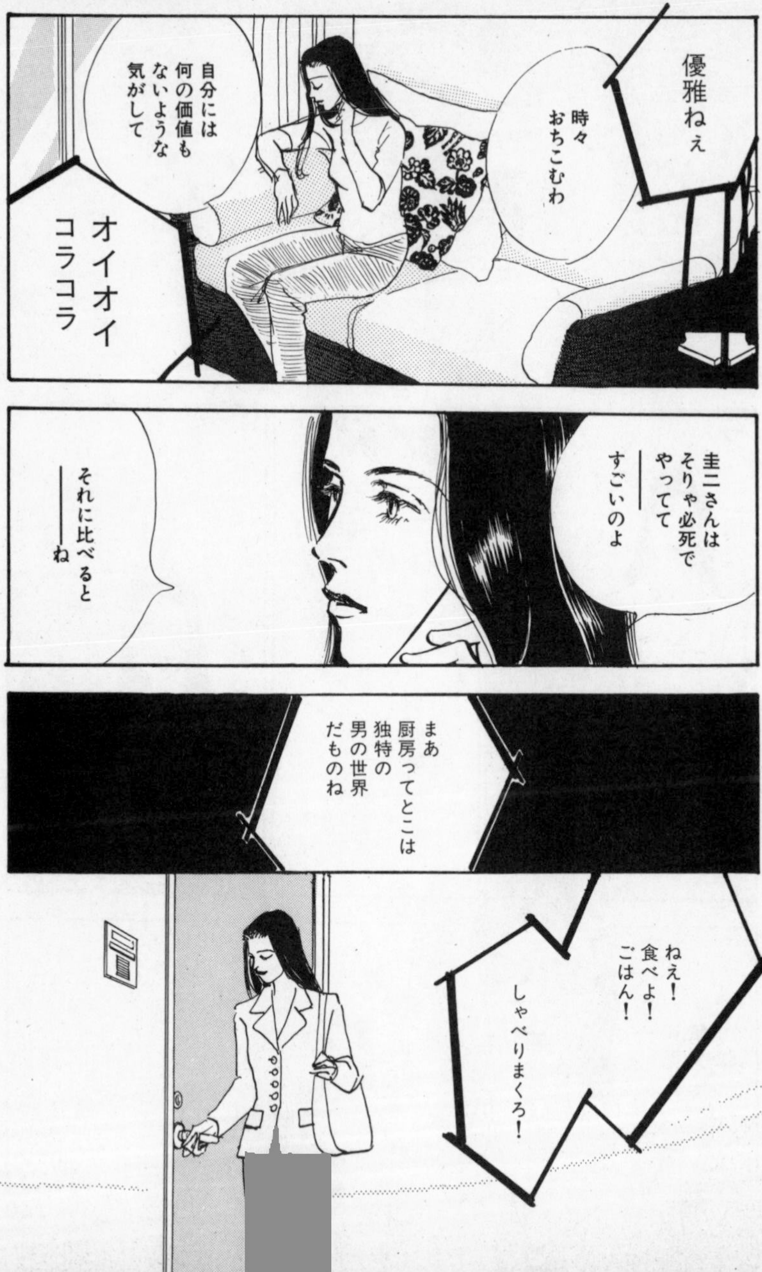
優雅ねぇ
時々おちこむわ
自分には何の価値もないような気がして
オイオイコラコラ
圭二さんはそりゃ必死でやってて——すごいのよ
それに比べると——ね
まあ厨房ってとこは独特の男の世界だものね
ねえ！食べよ！ごはん！
しゃべりまくろ！

次の休み？桐子さんと？
いいよ
ウチに来るんだったら何かつくってあげるよ
いいいい！外で会うわつもる話もあるし
……
羽根のばしてくれば？
オープン準備から働きづめでずっと気も張りつづけだ
四六時中僕のめんどうを見て——もらってるし
休日ぐらいゆっくりどうぞ
ありがとう
織田さん電話です

はい
藤原です 先日はどうも
おう どうした
あの〜〜〜っ 次の定休日のご予定はいかがでしょうか
ああ 空いてるよ
どき どき どき どき どき
ごっくん
どーき
どき
どき
どき
食べ歩きに行きませんか?

いいけど——
うまい店なの?
そりゃもう
話題です!!
なら行く
ぷち
ぴょん
ぴょん
やった——っ!!
るる——♪
織田さん
誘っちゃった
——っ!!
う、お

織田さんと
二人きりで
食事なんて
初めてだ!

おう！
えへへへ〜〜〜〜〜
えへへじゃないって
Bonjour《ボンジュール》！
ザワ
ザワ
おまちしておりました藤原様2名様ですね
すごいな
うん 豪華ね
あっ ごめんなさい

お食事の前に食前酒などはいかがですか? キール シェリー シャンパン
ビールもございます
本日のお魚は「うなぎの祭り風」本日のお肉は「仔羊の香草園」
「新世紀のシェフ」おめでとうございます
あ…どうも
織田さんのページはやっぱり「春のテリーヌ」ではじまって「コンソメ」
「エイ」「仔ウサギ」「牛テール」か「鳩」——と決めたい所ですね
おまえが決めるな

ザワ
ザワ
前菜の
「キャビアの午睡《おひるね》」
です
千代ばあの本
読んじゃった
「毒を食らわば皿まで」
織田さんのことも
出てたね
少年Kって
もう
やめてくれって
カンジ…
麦わら帽子と
白いシャツというかっこうで
少年Kがやって来た
頭の中が
ゆだるような
暑さの日だ
なぜそれを
覚えているかと
いうと

少年Kの目が
透明で
口元はこわばっていて
瀕死の小動物のようで
ヒヤッとしたからだ
戦時中に
よく見た
子供達に
似ていた
こういう人間は
どうあがいても
旨いものは
つくれない
――とふんだ
それが案外と
面白いものを
一心不乱につくる
基礎も何も
入っていないので
苦戦している
ようすがいとしかった
教えてみるか

毎日――
ダシの特訓だった
かつおぶし
昆布 とりガラ
牛骨 魚のアラ
それさえ
たたきこんでおけば
この早熟な才能は
この未熟な人間を
助けるかもしれん
あの人には
恩がある――
織田さんは千代ばあに
私は織田さんに……
恩がある

こういう
つながりを
何て言うのかは
わからないけれど
どんな現実の
つながりよりも
どんな本当のことよりも
私の中では
リアルで——
大切なものだ……

ごちそう様でした
ありがとうございました
Au revoir《オルヴォワ》 !
ニコ
ニコ
ニコ
ニコ
……
……

何がオーヴァアよ フレンチだから フランス人おいとけって? お笑いよ あの 給仕長《メートルドテル》 人形みたい
あのワインの軽薄さは 何なんだ一体!?
メニューのすすめ方!! 「ポテトもいかがですか?」って言うかと思った ファーストフード並みの マニュアル!
うしろの席の ひじ鉄くらう程 ぎゅうぎゅうに テーブル置いて 客つめこんで! ブロイラーになった 気分だったわ!
なーにが 「キャビアの お午睡」だッ ムシズが走る 寝てんのは シェフだろうがっ
あのキャビア カン臭かった
どの料理も カツオだしで しょうゆ味じゃ ないか?
スープが 最低!!
子供だまし

あんなの
フレンチじゃない
レストランじゃない!!
ハァハァ
ゼーゼーゼー
あははは
ぷぷっ
一度はなれて
こうやってつきあうと
またちがう

お茶だ
お茶！
やっぱり
好きだ
織田さんが
すごく
やさしくなってるのは
可奈子さんの
おかげだろう
可奈子さんの
人間性には
私はギモンを
感じるけど……
こうやって
織田さんを
幸せにしているのも
本当だ

少しずつ織田さんに近づいていけばいいじゃない
一緒に暮らしてるんだし一緒に働いてるんだし
焦ることはないでしょう？
仕事には……私は素人だもの
何でも教えてもらう！文句を言う！
共同経営なんでしょ!?
……
あのね

それがキチンと できるまでは
結婚の約束を 取りつけたい とか
子供が欲しい とか 考えちゃだめよ
……やだ
そんなこと 考えてないわよ
自分のこと もてあましてる ぐらいなのに そんな自信 ないわ
じゃ 仕事する？
一人で考えこむのも 良くないわ
今村《いまむら》可奈子への オファーは 今でも しつこく くるのよ
いくらでも できるわよ 復帰！

そんな……
全部捨ててついていくって決めたのに……
あきれた！
なんなんだ私は!?たーだのグチを聞かされてるのか──!?
ごめん桐子！
じゃあね
グチでもいーやまた聞くわ電話ちょうだい
ありがと

ピンポーン

おかえり
ただ今―― あ―― 遊んじゃった
銀座《ぎんざ》の方まで 行っちゃった
お洋服 見たり 靴見たり
あっ 松屋《まつや》の B1の食品街 すごく良く なってたわ
………
桐子さんは？
ああ 元気よ もちろん
スタジオも プライベートも 順調だって
そうそう 恵比寿《えびす》の方に いいレストランが できたって 言ってたわよ
こっちも レストランの 試食に 行ってきた
ドックン
GARMIT

だれと行つたの？
そう…
おいしかった？
ドックン
サイテー
0点！
ドックン
やだ
何が最低
だったの？
だれと行つたの？
全部！
どっかの金持ちの
道楽だろう
何でも
言つて
いいのよ
だれと
行つたの？
ドックン
言えない
聞きたくない
どうしたの？

ちょっと頭痛——
人ごみに当たったみたい
もしもし桐子？
GARMIT
少し——仕事を回してくれる？
やってみたいの

私は自分を信じてない——
——という風にサイテーな店でした
すぐつぶれるでしょう
報告オワリ!!
そうでしょう
こくこく
私—— 自分のカンだけで「好きな味をつくる人」の店にいるから
あーゆーイヤな店とか知らなかったけど… 色々あるのよねえ

みんたに守られて外の世界を知らなさすぎる……
辻くんこの恵比寿の「マイエ」って行ってみたいなかなり良さそう
行く
野菜がおいしそう
ワインがよさそう
ウソつき〜〜〜〜ッ
だから急用なんだってば！謝ってるだろ!!
私一人でレストランに入れって言うの？
女一人で？いやよそんなのひど〜い!!
バカッ辻

ガチャン
一人だって
行けるもんね
ガッガッ
ガッ
あら
感じのいい入口……
キィッ
ありがとうございます
この店「当り」かも
いらっしゃいませ
蓮見《はすみ》様
2名様
おそろいでございますね
ご案内いたします

あ
ちがいます 私は 藤原です
実はつれが 急用で ダメになりまして
一人で 来たんです
失礼 いたしました
では 蓮見様 一名様で… こちらへ
こちら…

よろしかったら
ご一緒しませんか？
一人で
二人分の席を
占領するのも
気が引けるし
二人なら
ワインも1本
開けられるし
海島綿《かいとうめん》のシャツ
コモシルクのタイ
春用の極《ご》く薄い
フランネルのスーツ
時計なんか
ブレゲじゃ
ないのかなア
代々ゆずられる
――って
シロモノだよね
ワイン選びには
あんまりくわしく
なさそうだから
食べもの関係じゃ
ない――と

色々あつかってる
商社のような
ところで
働いてます
蓮見さんは
今日は
どなたと
いらっしゃる予定
だったんですか？
60すぎの
ガンコでイヤな
おじいちゃんと
藤原さんは？
ウソつきな
お兄ちゃん
じゃあ
お互い
少しばかり
楽しい夜に
なりましたね
カトラリーの
あしらい方が
慣れてるなア
裕福な人間特有の
けだるさ――

良いお店ですね――
とてもリラックスできる
どんどん日常から離れていく
もう戻れないような――焦りと
もうこのままでいいような……
不思議なちぐはぐさが同居する人
どうですか？私はお料理にはくわしくないけれどここのは……
すごいと思います
野菜をこのようにそれぞれ一番おいしい状態にゆでることができるレストランは◯《マル》です
こういう有機栽培の味の濃い野菜をそろえることじたい東京《とうきょう》では大変です
かなり強力なバックかコネがついてますね
次にダシですがこれはシェフの愛情の程が計れるところです何しろ手間がかかります
合格です

藤原さんのお仕事は……
食いしん坊
うらやましい………
そうですか？
食いしん坊というお仕事は―どうですか？
私に合っているし
最高だわ
わかるような―気がします

そして彼は
銀色のマセラッティで
帰って行ったのでした
——マル
色んな人が
いるもんだ
あら
ここって……
織田さんの店の
目と鼻の先だ…

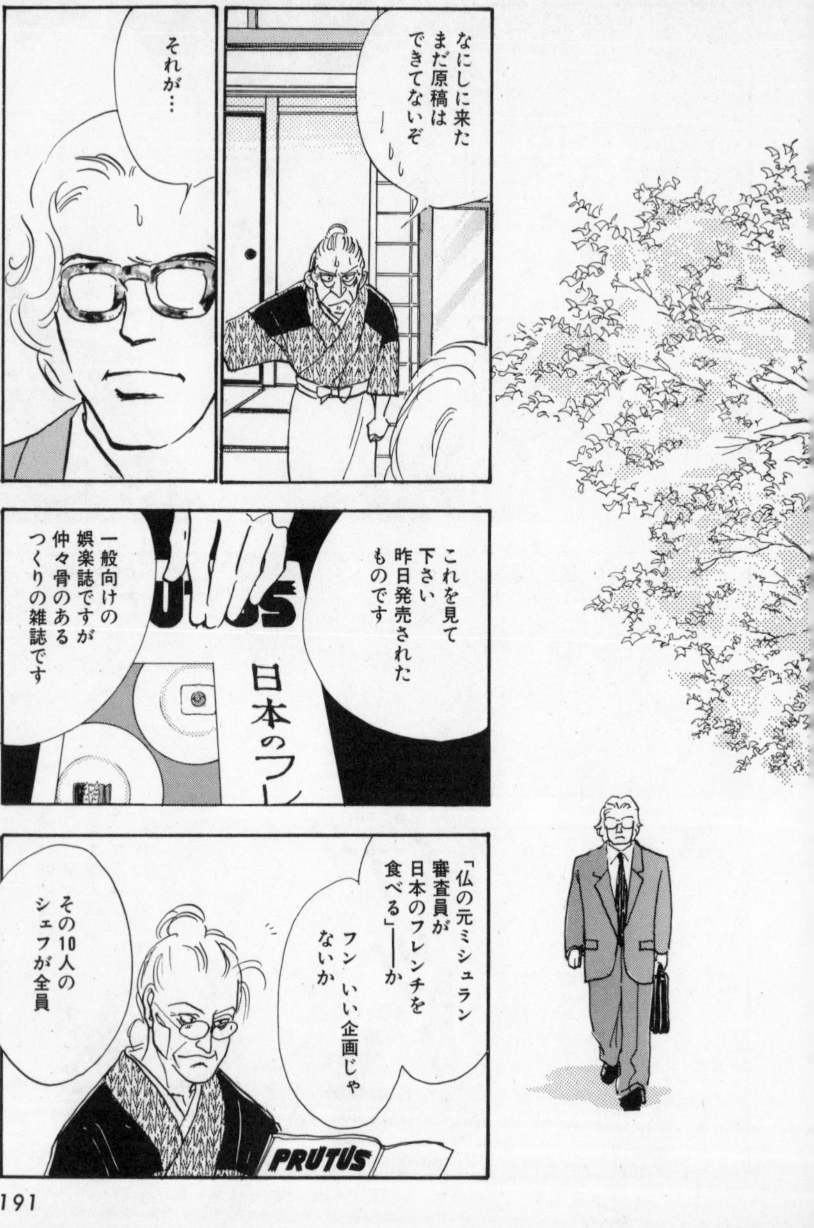
なにしに来た
まだ原稿は
できてないぞ
それが…
これを見て
下さい
昨日発売された
ものです
一般向けの
娯楽誌ですが
仲々骨のある
つくりの雑誌です
日本の
「仏の元ミシュラン
審査員が
日本のフレンチを
食べる」――か
フン いい企画じゃ
ないか
その10人の
シェフが全員
PRUTUS

「新世紀のシェフ」のメンバーなんです
代官山 セルドール
織田 圭二
参宮橋 アムール
高橋 薫
代々木 クレッシェント
金子 良夫
白金
こてんぱんにたたかれていますひどいものです
どうしましょう出版を見合わせて様子を見た方が
阿《あ》呆《ほう》!
言論批評は自由!感じた事を発表するのはまっ当な事だ!言われたくらいでおたおたするな
バッ
こちらはこちらで予定通り出す何も変わらん!!
はい

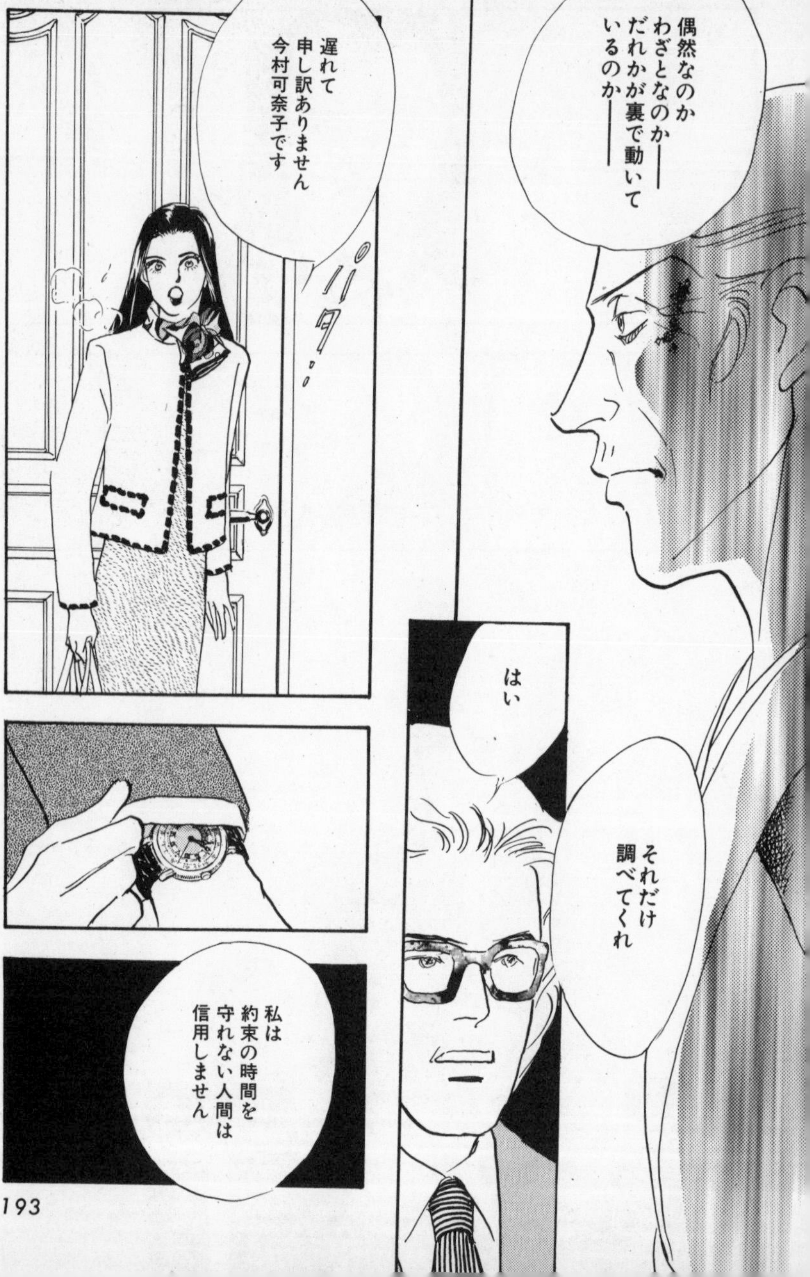
偶然なのか
わざとなのか――
だれかが裏で動いているのか――
それだけ調べてくれ
はい
遅れて申し訳ありません
今村可奈子です
パタ…
私は約束の時間を守れない人間は信用しません

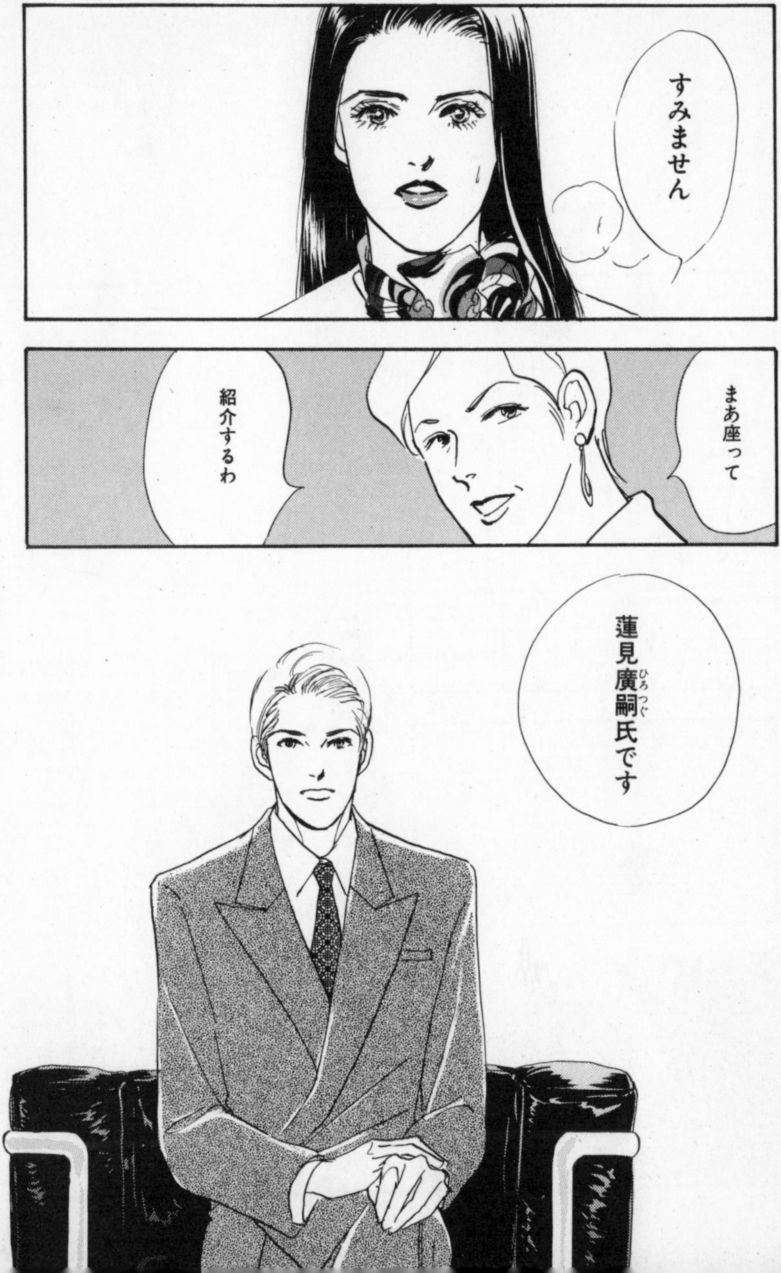
すみません
まあ座って
紹介するわ
蓮見廣嗣《ひろつぐ》氏です

「おいしい関係」act・45—おわり—

女達の香港
ももんが槇村
仕事あけであった旅行のあともキッチリ仕事がまっていた
今回の私の目標はただひとつ
無事故
無病
(体力温存で)
楽しもう!
消極的か…?
オーーッ
10年ぶりの香港《ホンコン》
女の仕事
華亭飯店
香港ただ一人の女性オーナーシェフリサさん この地は料理人の層がぶ厚く女はシェフになかなかなれない
キリッとした受け応えがりりしい
そりゃもーインケンで男のシットは
男たちにイジメられた話になったらちょっと熱くなっていた
でも助けてくれる人もいました
美女である
おいしかった?
肌がキレイで
目がキラリ
料理は杭州地方の家庭料理 お母さまから習ったものが多いとか
リサさんの料理は骨太であったかい
とりと中華ハムのスープのワンタン鍋 あつあつ
杭州のお茶、日本茶風でサッパリするの
豚バラ肉の角煮、脂身もプルプルとおいしいのだ。

通訳をしてくださった 香港在住 大澤《おおさわ》さんも すばらしかった きれいな日本語を 自然に使える 女性…いいなァ
5年です
今の日本語の 流行を 知らないんですよ 不勉強なもので
そのままが いいです!
槇
女のたしなみ
ティーチャプター
「樂茶軒」にて お茶のお手前を 体験する
フタ付きちゃわんで入れたり きゅうすで入れたり 葉によってちがう
温度と タイミングの 問題だそうだ
やはり お茶の世界は 「深い」のだった
これにハマったら 身上つぶしそう
とにかく茶道具が かわいい
女の買い物
アウトレット
「ジョイス」という セレクトショップの アウトレットに 行きました
体育館の ような 倉庫の ような
ブランド服の 大安売りだ
ジルサンダー
グラネロ
ダナキャラン
エンポリオ アルマーニ
このサンダル! 日本でプロパーで 買ったのよ〜〜っ くやし〜〜 安い〜〜
成金系香港マダムと ジル・サンダーの靴を 取りあい
バチッ
負ける
結局買ったのは アルマーニジーンズの ズタ袋3000円くらい
オーダーに 走る中嶋《なかじま》さん
グッチ風のバッグを オーダーしたッ
着物を持ってきた 石川《いしかわ》さん 女にとって「着る」ことは大事だ

女の美容
リフレクソロジー
ギャ〜〜ッ
いっそ殺せ〜〜!!
お顔エステで天国〜〜♡
足のツボマッサージで地獄〜〜
槇村《まきむら》さんは疲れると腎系と座骨に出ますよ
ミッシェル松山さん
あっ
足が軽い!!
安売り化粧品屋もおさえたいよね
女友達へのおみやげはリフトマンスールで決まり!!
スイスのは?
顔ヤセは?
やせるバンソーコーあるよ
ズラ
やせるバンソーコー
ナヌ?!
ハイアットのメインダイニング「凱悦軒」
香港料理界の最先端をつっ走る広東料理店
華麗! 繊細!
クリスピーチキン絶品!!
「生魚」のスープ。これをのむと傷がふさがるという神秘の…
蒸したとうふにXOジャンがのってさらにオイスターソースと上湯のタレ……とうふはハート型でオチャメ?
グランシェフ周中《しゅうちゅう》さん ちょっと見コワイが笑顔はやさしい
おいしいか?
ウンっ
「福臨門」での飲茶ランチでは
袴田《はかまだ》さんが揚げたトリの頭をかじって店員をあわてさせる
彼女は獣医さんになる人
ここはノーカンでここは…
ガジッ
あっ
下町で評判の牛煮こみソバ屋にも行った
すごい人の列に並んで……
肉もスープでもメンも
うまいっ
でも何て汚い店なの
ハシもあやしくぬれている
器はねばついている
はふはふ

ゴ〜ジャース
最後のディナーはリージェントのメインダイニング 麗晶軒
テーブルウェアは翡翠です
さてここのマンゴプリンはどーかな?
ウエイターさんもかっこいいい♡
こらこら
窓のうしろは香港島の大パノラマ夜景
原田さん
遠藤さん
稲毛さん
上にのったもやしよりももしかしたら太いのでは?と思えるフカヒレのスープ
こんなにキメのそろったお肌のダックはみたことない北京ダック
マンゴプリンも玉《ぎょく》の器でくるあたりすごすぎ
なんでこんなに
幸せなのかな
あんなにぐったりしてたのに旅行中はずっと体調が良かった
代謝がよくて体が軽いのだ
絶対食べもののせいだと思う
香港には料理があるおいしく食べるという情熱が燃えている
生きることへの貪欲さが丸出しでぐるぐるウズ巻いて熱いのだ
おいしくない訳はない!!
帰国後 日本の食べものに!! 大きな「?」を 感じるようになった

「女達の香港」ーおわりー

ヤングユーコミックス

おいしい関係⑪

12-30-17 (出) K8

1997年10月22日　第1刷発行

著　者　　槇村さとる

編　集　　株式会社　創　美　社
〒101　東京都千代田区神田神保町3－9
第一丸三ビル
電話　03(3288)9821(代)

発行人　　後　藤　広　喜

発行所　　株式会社　集　英　社
〒101-50　東京都千代田区一ツ橋2－5－10
電話　編集　03(3230)6261
販売　03(3230)6393
制作　03(3230)6076

印刷所　　凸版印刷株式会社
Printed in Japan

ISBN4-08-864325-9 C9979